La collection
ROMANICHELS
est dirigée par
André Vanasse

De la même auteure

Suite pour un visage, poème, Montréal, Éditions du Carré Saint-Louis, 1970.

Finitudes, poèmes, Montréal, Éditions d'Orphée, 1972.

Yes, monsieur, récit, Montréal, Éditions La Presse, 1973.

Un sens à ma vie, récit, Montréal, Éditions La Presse, 1975.

J'elle, récit, Montréal, Éditions Stanké, 1979.

Une histoire gitane, roman, Montréal, Québec/Amérique, 1982.

L'homme de Hong Kong, nouvelles, Montréal, Québec/Amérique, 1986.

Les miroirs d'Éléonore, roman, Montréal, Éditions Lacombe (finaliste au Prix du Gouverneur général et au Grand Prix littéraire du *Journal de Montréal*), 1989.

Chambre avec baignoire, roman, Montréal, Québec/Amérique (Grand Prix littéraire du *Journal de Montréal* et Prix de la Société des écrivains canadiens), 1992.

Pense à mon rendez-vous, nouvelles, Montréal, Québec/Amérique (finaliste au Prix du Gouverneur général), 1994.

Traductrice de sentiments, roman, Montréal, XYZ éditeur, coll. « Romanichels », (finaliste au Grand Prix des lectrices *Elle Québec*), 1995.

Le cimetière des éléphants, roman, Montréal, XYZ éditeur, coll. « Romanichels », 1998.

Dialogues intimes, récit, Montréal, XYZ éditeur, coll. « Étoiles variables », 2002.

Mercredi soir au Bout du monde

Solstice d'hiver

Catalogage avant publication de Bibliothèque et Archives nationales du Québec et Bibliothèque et Archives Canada

Rioux, Hélène, 1949-

Mercredi soir au Bout du monde : roman

(Romanichels)
(Fragments du monde)
ISBN 978-2-89261-491-6

I. Titre. II. Collection.

PS8585.I46M42 2007   C843'.54   C2007-940678-5
PS9585.I46M42 2007

La publication de cet ouvrage a été rendue possible grâce à l'aide financière du ministère du Patrimoine canadien par l'entremise du Programme d'aide au développement de l'industrie de l'édition (PADIÉ), du Conseil des Arts du Canada (CAC), du ministère de la Culture et des Communications du Québec (MCCQ) par l'entremise de la Société de développement des entreprises culturelles (SODEC).

© 2007
XYZ éditeur
1781, rue Saint-Hubert
Montréal (Québec)
H2L 3Z1
Téléphone : 514.525.21.70
Télécopieur : 514.525.75.37
Courriel : info@xyzedit.qc.ca
Site Internet : www.xyzedit.qc.ca

et

Hélène Rioux

Dépôt légal : 2ᵉ trimestre 2007
Bibliothèque et Archives Canada
Bibliothèque et Archives nationales du Québec
ISBN 978-2-89261-491-6

Distribution en librairie :
Au Canada :   En Europe :
Dimedia inc.   D.E.Q.
539, boulevard Lebeau   30, rue Gay-Lussac
Ville Saint-Laurent (Québec)   75005 Paris, France
H4N 1S2   Téléphone : 1.43.54.49.02
Téléphone : 514.336.39.41   Télécopieur : 1.43.54.39.15
Télécopieur : 514.331.39.16   Courriel : liquebec@noos.fr
Courriel : general@dimedia.qc.ca
Droits internationaux : André Vanasse, 514.525.21.70, poste 25
                        andre.vanasse@xyzedit.qc.ca

Conception typographique et montage : Édiscript enr.
Maquette de la couverture : Zirval Design
Photographie de l'auteur : Kèro
Illustration de la couverture : Jacques Laurent Agasse, *La girafe nubienne*, 1827
Illustration des pages de garde : détail de la couverture

FRAGMENTS DU MONDE

Hélène Rioux

Mercredi soir au Bout du monde

roman

XYZ
éditeur

Romanichels

L'auteure tient à remercier le Conseil des Arts du Canada pour son appui financier.

Pour Naomi

1

Mercredi soir au Bout du monde

Le bout du monde nous appelle.

L e Bout du monde est ouvert vingt-quatre heures sur vingt-quatre, tous les jours de l'année, même le jour de Noël. On entend le nom, on le répète dans sa tête, on ferme un instant les yeux. S'il neige aujourd'hui, s'il pleut des cordes, qu'importe ? Le bout du monde existe ailleurs avec d'autres climats. Défilent alors derrière les paupières plage de sable fin, palmiers bercés devant une mer émeraude, île paresseuse au large, hameau dans la savane, parsemé de huttes étiques. Des souvenirs de cartes postales surgissent, des tableaux de Gauguin, de Matisse chatoient dans la mémoire. Bruissements d'ailes, de flamboyants oiseaux prennent leur envol, planent au-dessus d'un lac, Victoria, disons. Un étroit sentier grimpe dans la montagne, bordé de ronces, de cactus, d'arbrisseaux secs ; une mule lourdement chargée de melons y avance à petits pas précautionneux — est-ce la Crête ? Ou bien quelque village perdu dans la sierra andalouse, loin de la mer, aux ruelles si étroites que jamais n'y pénètre aucun car de touristes ? Tirant sur la corde au bout de son piquet, une chèvre très maigre broute l'herbe jaune au pied d'un acacia. Les images se succèdent, certaines s'attardent plus que d'autres. Des éléphants peut-être, des singes gracieux suspendus aux lianes, des girafes ou des chameaux s'agenouillant. Leurs silhouettes, ou leurs ombres, avec nonchalance entrent et sortent du paysage. Le battement des tam-tams résonne dans la jungle proche, et bat le cœur à l'unisson, tout confiné qu'il soit dans la poitrine. Une oasis se propose ensuite avec des jardins, des dattiers, des jets d'eau inespérés au milieu du désert. Oui, le bout du monde nous appelle. On pense à une Bagdad mythique, aux splendeurs que naguère on a lues dans des livres de contes, les mélopées chantées d'une voix de gorge, les violons et les ouds qui l'accompagnent. Touffeur de la nuit. L'eau glougloute dans la vasque au milieu du jardin, une jeune fille sert le thé fumant sur une table ronde au plateau ouvragé, la soie d'un pantalon diaphane frôle une jambe. On voit des coupoles d'or rutiler : c'est Moscou en juillet, sous le soleil. On voit Séville somnolante que traverse le fleuve Guadalquivir, on voit le port où, chargés d'or et d'argent, les vaisseaux reviennent de l'Amérique. On voit les temples que les empereurs aztèques ont fait bâtir quand Mexico s'appelait Tenochtitlán, on voit les escaliers où dégringolent les corps des immolés, les grandes bassines dans lesquelles palpitent encore les cœurs arrachés. On voit des fresques sur des murs de pierre. On se remémore un passage de *L'invitation au voyage*, on devient cet enfant, cette sœur aimée, on songe à la douceur d'aller là-bas… On entend des enfants se chamailler dans une langue invraisemblable, on voit approcher en file indienne, hanches ondulantes, seins nus, cheveux flottants, des vahinés ornées de fleurs ; des parfums lourds remontent à nos narines, on se rappelle le goût un peu écœurant de la noix de coco, du punch au rhum ambré. C'est l'été, toujours l'été, le bel été. Une chaise longue abandonnée, un vieux ballon aux couleurs passées roule puis s'arrête sur la ligne des vagues. Le bout du monde.

Ou bien c'est le Nord, aveuglantes étendues de blancheur et d'immobilité, traces que l'ourse et ses oursons polaires ont laissées dans la neige, c'est le sommet d'une montagne, si haut qu'on croit pouvoir atteindre les étoiles rien qu'en tendant le bras, c'est une côte escarpée sauvagement battue par l'océan. Plus loin, une ville émerge d'un marécage, Saint-Pétersbourg apparaît dans la brume, fenêtre qui s'ouvre sur l'Occident. La lune luit, rousse dans la nuit blanche ; place de l'Amirauté, le cavalier d'airain sur son cheval cabré pointe le doigt vers la Neva. La nuit tombe sur la forêt ; une rivière coule et cascade entre ses berges gelées, elle emporte avec elle la rumeur du monde et la neige qui fond dès qu'elle touche son dos. Le silence s'installe, impressionnant silence. Puis, l'aube. Un oiseau, noir et seul, corbeau, corneille, lance son cri, on l'aperçoit perché sur la branche d'un pin. Noir et seul, il passe soudain devant ce qui reste de la lune dans le ciel pâle. Galop des chevaux fous, hurlement du vent fou. Qui se rue ainsi, qui se déchaîne, quel est ce cri qui glace la nuit ? Le vent qui hurle à Hurlevent ? Est-ce Heathcliff le sauvage qui revient se venger ? Le spectre de Hamlet qui vocifère à Elseneur ? Craquement des branches sous la violence de l'assaut. Un chêne tombe, foudroyé, dans la lande.

Le bout du monde avec ses mystères.

❏

Marjolaine passe un coup de chiffon sur le comptoir en formica. Devant elle, chacune sur son tabouret, trois femmes entre deux âges — mais plus près du troisième.

Doris allume une cigarette, Denise, la joue dans une paume, voudrait un deuxième café, Laure consulte sa montre. Onze heures vingt-cinq. «La soirée est encore jeune», dit Marjolaine comme pour la rassurer. Doris hausse les épaules. «C'est vrai, on a toute la nuit», renchérit Denise. «Parle pour toi, dit Doris. J'ai rendez-vous à l'hôpital à dix heures demain matin.» «Ton traitement?» chuchote Marjolaine. Doris hausse les épaules.

Elles sont là, endimanchées, au Bout du monde. Un rang de fausses perles au cou de Laure. Denise a vu la coiffeuse en fin d'après-midi. Ses cheveux acajou, raides de laque, exhalent un parfum violemment sucré. Laure la complimente: cette raie sur le côté la rajeunit de dix ans. Discrètement, Doris sort un petit miroir de son sac à main en faux cuir. Elle a toujours peur que sa perruque soit de travers, elle ne s'habitue pas. Mais non, ça va, rien n'a bougé. En même temps, cette chevelure figée qui justement ne bouge pas la déprime. Le rouge cerise déborde un peu de la ligne de ses lèvres. Elle prend un kleenex, répare le gâchis, le remet dans son sac avec le miroir. Elle soupire. «Marjolaine, s'il te plaît, donne-moi un coke diète», demande-t-elle. Ali, le cuisinier, émerge de son antre où il a fini de récurer — il n'y a pas de plongeur au Bout du monde, et pas l'ombre d'un lave-vaisselle dans la cuisine exiguë. «Si on en demande, il ne reste plus de pâté chinois, dit-il avec son accent. Ni de pouding au tapioca.»

Murs beiges, une dizaine de tables rectangulaires égratignées, tachées de café et de brûlures de cigarette, éclairage au néon. Au bout du comptoir, un sapin artificiel miniature — une douzaine de boules rouges, quelques glaçons, une étoile dorée posée de travers au sommet. La télévision bourdonne faiblement sur sa tablette installée dans un angle. La radio aussi est allumée: c'est l'heure de l'émission *Villes romantiques*. Pour l'instant, un chanteur, des trémolos dans la voix, tente de nous convaincre que Saint-Pétersbourg est sa ville. Un homme, la jeune trentaine, col roulé noir, barbe de trois jours, sirote le même thé depuis une bonne heure, un journal devant lui, ouvert à la page des petites annonces. C'est la première fois qu'il vient, on se demande d'où il sort, ce qu'il fait là. À présent, son thé doit être froid. La neige tourbillonne derrière la vitre.

La porte s'ouvre soudain et Raoul entre en même temps que la bourrasque. Trois femmes s'illuminent.

Il s'ébroue, puis il suspend son paletot, son foulard carreauté à un crochet au mur. Ses lunettes sont embuées, il les essuie avec une serviette de papier avant de consulter le menu écrit au feutre noir sur le tableau blanc. Pour ce soir, ce sera le spécial des fêtes, l'assiette de dinde avec ses atocas, sa farce, ses petits pois et ses patates pilées, la pointe de tarte au sucre chaude flanquée d'une boule — ou deux, si Ali se sent d'humeur généreuse — de crème glacée à la vanille, la soupe aux légumes pour commencer, pour finir, deux cafés. « T'arrives tard », dit Laure. Denise allume une cigarette, Doris finit son coke diète. Marjolaine apporte le napperon couvert de publicité imprimée, le verre d'eau, la fourchette, les deux cuillers, le couteau. « Denise, chuchote-t-elle à l'oreille de la fumeuse. On ne le connaît pas, ce type. » Elle coule un regard vers le buveur de thé. « Si ça se trouve, c'est un inspecteur du gouvernement. On va avoir une amende à payer. » Denise va finir sa cigarette sur le trottoir. Elle tire deux ou trois bouffées, rentre en grelottant. Après un instant, Laure dit qu'elle n'a pas encore soupé, elle a envie d'une petite poutine gratinée.

La porte s'ouvre de nouveau. Entrent Boris, un Russe baraqué comme une armoire à glace, Diderot Toussaint,

Haïtien freluquet coiffé d'une tuque rayée rouge, vert et noir à pompon. Pour un mercredi, la soirée a été bonne, deux voyages à l'aéroport pour Diderot, pas un, jubile-t-il, deux. C'est rare dans une même soirée, il peut se permettre l'entrecôte. « Bien saignante, sinon, je la retourne », précise-t-il à Marjolaine. Elle hoche la tête. « C'est Ali, le chef, dit-elle. C'est à lui qu'il faut dire ça. » Boris commande une bière. Il ne restera pas longtemps, il doit aller chercher deux filles qui dansent dans un bar à la frontière. Par les temps qui courent, un voyage de cinquante piastres, ça ne se refuse pas. C'est son frère Fédor, son partenaire dans leur petite compagnie, qui a le contrat, mais il doit prendre l'avion demain à l'aube et ce soir Boris le remplace. Il mangera en revenant. Doris prend un air consterné. Les joueurs de hockey s'agitent sur l'écran de la télé. Hervé Vilar déplore que Capri, ce soit déjà fini.

Au Bout du monde, les chauffeurs de taxi viennent se restaurer la nuit — le spécial des Fêtes est offert à cœur d'année, c'est même la spécialité. Ali s'est habitué. Il travaille ici depuis six mois — un record : au Bout du monde, les cuisiniers d'habitude ne font pas de vieux os, allez savoir pourquoi. Ils sont peut-être trop mal payés. Sa farce est un succès. Il y ajoute des raisins secs, des noix, des dattes, des pruneaux parfois, quelques épices que personne ne connaît. Un petit goût du Maghreb au cœur de Montréal, et les mangeurs ont l'impression de voyager.

Quand les hommes ont fini de manger, les femmes sortent les cartes et tout le monde s'installe pour jouer. Le cinq cents est leur jeu préféré. D'habitude, Boris et Doris jouent ensemble parce que leurs prénoms se ressemblent — c'est une tradition, et la chose n'a jamais été remise en question. Entre eux, il y a peut-être autre chose, une idylle, qui sait ? Les autres alternent. Le couple qui ne joue pas boit du café en attendant de remplacer les perdants. La nuit se poursuit ainsi jusqu'au petit matin, puis ils mangent les œufs, le bacon et les rôties qu'Ali prépare avant de s'en aller. Oui, la nuit de mercredi est toujours une fête.

Marjolaine pose une nouvelle cafetière sur le réchaud. Denise prend place en face de Diderot, Raoul mêle les cartes. « Amène-toi, Laure. On va commencer. » Boris se lève, il doit y aller, les filles finissent de travailler à deux heures, ce doit être assez dur de passer la soirée à se déshabiller, il ne veut pas en plus les faire poireauter. Avec cette tempête, la visibilité est nulle, il faut rouler mollo. La porte s'ouvre et se referme sur la bourrasque. Doris reste au comptoir. « Tu vas pas passer la nuit à bouder ? dit Denise.

— Elle a perdu son partenaire, l'excuse Diderot.

— Si tu veux, on jouera à tour de rôle avec Raoul », propose Laure.

À la radio, Véronique Sanson répète mélancoliquement que dans le port de Vancouver, elle ne voit jamais le matin. Marjolaine pose un coke diète devant Doris. « Avec les compliments de la maison », dit-elle en esquissant un simulacre de révérence. Elle comprend le problème, voudrait la consoler, mais elle n'y parvient pas. On voit les épaules de Doris tressauter. Elle agrippe son sac et se rue vers les toilettes. « Demain, elle a son traitement de chimio, explique Marjolaine aux autres. C'est pas la grande forme. » « Huit trèfles », annonce Denise. Diderot fait la grimace. Laure passe. Diderot aussi. Avec neuf sans atouts, Raoul s'empare de la mise. « Mademoiselle », dit l'homme au col roulé noir en se tournant vers Marjolaine. Il lève une main ; sa voix est étonnamment haut perchée. « S'il vous plaît, un autre thé. » Diderot prend une levée avec la blanche. L'as de trèfle de Denise devient maître. « Y en a qui jouent fessier », maugrée Raoul qui jette son jeu sur la table. Marjolaine sert du café. « Neuf sans, pis t'avais même pas la blanche », murmure Laure, dépitée. C'est elle qui marque les points.

La partie de hockey est finie. Aux actualités, un pédophile encadré de deux policiers fait son entrée au palais de justice pendant que, à la radio, Charles Aznavour susurre une rengaine sur la tristesse de Venise. Diderot fredonne le refrain — il fausse un peu. « Ça prend un beau salaud pour s'attaquer aux enfants ! s'exclame Laure.

— Mais vous allez voir qu'il va s'en tirer », dit Denise en battant les cartes.

Laure ajoute qu'il y a toujours un psychiatre pour jurer que les criminels ne sont pas responsables, puis elle annonce sept carreaux. « Quand on n'a rien à dire, on fait aussi bien de se taire », la rabroue Raoul. Les lèvres de Laure tremblent un peu, ses cils englués papillonnent, elle triture son collier. Diderot passe. Raoul dit huit sans. Denise, neuf, et elle rafle sans coup férir les dix levées. Debout près de la porte, Marjolaine regarde la neige tomber. « Ça n'a pas l'air de vouloir s'arrêter. » « Si ça continue comme ça, on va faire un Chicago », soupire Laure. « Vous avez oublié mon thé », dit l'homme en noir.

Marjolaine lui apporte une tasse propre sur sa soucoupe, une petite théière en acier inoxydable remplie d'eau bouillante, un sachet de thé Salada, un godet de lait deux pour cent. Ali se dirige vers les toilettes. La porte est toujours verrouillée.

« Dites donc, ça fait un bout de temps qu'elle est enfermée là-dedans », s'inquiète Laure. Tous lèvent la tête. Marjolaine va frapper deux petits coups à la porte. « Ça va, Doris ? » Un gargouillis lui répond. « Elle doit pleurer, dit-elle, tournée vers les joueurs. Boris lui a même pas adressé la parole, vous avez remarqué ?

— Ça fait toujours du bien de pleurer un bon coup, dit Denise. J'en sais quelque chose. Avec le mari que j'avais, j'ai chialé plus souvent qu'à mon tour, je vous en passe un papier. J'ai dépensé une fortune en kleenex. »

Laure sourit, Raoul hausse les épaules. À la radio, un ténor des années cinquante (Tino Rossi ? Luis Mariano ?) s'égosille : « Mexico ! Mexico ! » « Elle a peur d'avoir des métastases aux poumons », continue Marjolaine. Laure distribue les cartes. « Elle fume trop, dit-elle. Puis, avec son traitement demain matin, elle aurait dû rester chez elle, se reposer.

— Moi, je trouve qu'elle fait bien de s'amuser pendant qu'il est encore temps, reprend Marjolaine. Ma sœur est morte d'un cancer du côlon l'an dernier. Ça n'a rien de jojo, surtout à la fin.

— Mon mari, c'était la prostate, dit Denise. Cinq ans le mois prochain. Bon débarras.

— Huit cœurs », dit Diderot.

Raoul renchérit avec huit sans atouts. Denise hésite, puis passe. Laure annonce fièrement la petite misère. Raoul abat son poing sur la table. Du café est renversé. « La petite misère, c'est pas du jeu. Tu pouvais pas me laisser faire mon huit sans pour une fois ? » Il regarde la mise : un joker, l'as et le roi de pique. « C'était dans la poche, tonne-t-il. J'avais l'autre bonhomme, la dame et le dix de pique. J'aurais même fait une levée avec mon sept. Pis j'avais l'as de carreau. Ta petite misère, t'aurais jamais réussi à la faire.

— On n'a pas le droit de regarder la mise », s'insurge Laure.

Les deux autres partagent son avis. Il faut respecter les règlements, et la mise, c'est sacré. « Pour qui tu te prends, Raoul Potvin ? » Laure est au bord des larmes. « Elle a fait ça rien que pour me couper l'herbe sous le pied, ronchonne Raoul en regardant Diderot. C'est ça que je digère pas. »

Marjolaine accourt avec son chiffon. Maintenant, les cartes sont collées. *Sous le ciel de Paris* en version instrumentale tourne à la radio. « C'est pas du jeu, peut-être, mais c'est pas du jeu non plus de regarder la mise, dit Denise d'un ton catégorique. Je propose qu'on recommence la partie.

— Pas question, proteste Diderot. La partie, on l'a presque gagnée. On va pas repartir de zéro.

— Puisque c'est comme ça, je propose qu'on change de partenaire », dit Raoul.

À la télé, on voit les lèvres d'un journaliste remuer sur fond de tempête. « J'ai besoin d'une bière », réclame Raoul dont le visage a pris une teinte rouge brique. « Moi aussi », dit Diderot. La porte des toilettes reste fermée.

Une collision frontale, un carambolage sur le boulevard Taschereau. Sept véhicules impliqués. « Boris doit pas passer par là pour aller à la frontière ? demande Laure, soudain alarmée.

— Monte le volume », dit Diderot à Marjolaine.

Tous ont les yeux braqués sur l'écran de la télé. Deux morts, onze blessés. Et le bilan risque de s'alourdir. « C'est pas possible », marmonne Raoul. Mais Diderot croit que Boris a pu emprunter un autre chemin à la sortie du pont Champlain. « S'il a pris le pont Champlain, oui, dit Denise. Mais le pont qu'on prend, ça dépend de notre point de départ. En partant d'ici, pour moi, il a pris Jacques-Cartier. Quoi qu'il en soit, il est parti depuis au moins une heure, il doit être presque arrivé à la frontière. » Personne n'est sûr de rien.

Ali se lamente, il a envie de pisser, il ne peut plus attendre, il va devoir se soulager dans l'évier. Denise va à son tour frapper à la porte. « Doris ? Doris ? » Pas de réponse. « Elle a peut-être eu un malaise. » Raoul s'approche, secoue la poignée. « Pas le choix, va falloir défoncer. »

Marjolaine roule des yeux effarés. « Si on appelait le 911 ? » suggère Laure. Marjolaine approuve. « Fais donc ça, dit-elle. La porte des toilettes arrachée, j'aime autant pas penser à la tête que ferait le patron en arrivant demain matin. » Mais Diderot objecte qu'Urgences-santé va mettre une éternité à venir dans la tempête, que Doris a le temps de passer dix fois de vie à trépas. Cette déclaration, que le mot « trépas » sinistrement conclut, est accueillie dans un silence interloqué. « La police, alors », dit Raoul. Puis, tous se mettent à crier et à tambouriner à la porte. « Doris ! Réponds, Doris ! T'es pas morte au moins ! » Denise se précipite vers le téléphone. On l'entend hurler : « Au Bout du monde ! Bout du monde ! Non, je sais pas l'adresse. Non, c'est pas une farce ! Un restaurant, rue Saint-Zotique au coin de Saint-Vallier, vous pouvez pas le manquer. » Raoul et Diderot Toussaint donnent des coups d'épaule dans la porte. On entend un craquement. « Mon doux Seigneur », gémit Marjolaine.

À la télé, le film est commencé. Une femme en imperméable court dans une rue mouillée. Denise raccroche. « Ils ont dit que l'ambulance serait là dans une vingtaine de minutes. »

Doris est bizarrement recroquevillée entre le lavabo et la cuvette. Personne n'ose la déplacer. Son tube de rouge à lèvres ouvert a roulé sur le sol à côté de sa main droite. « Elle voulait peut-être juste se refaire une beauté », suggère Laure. « Ou écrire un message sur le miroir », dit Denise qui a déjà lu ça dans un roman. Les derniers mots pleins de bavures sautent à la face des survivants. « Pardonnez-moi », « Je t'aimais, Boris », ou bien « Je suis au bout du rouleau. Je souffre trop. » Sa jupe en tweed — gris et bordeaux — est relevée sur ses cuisses blêmes, marquées de cellulite. « La pauvre, elle avait mis des bas, murmure

Marjolaine, médusée, en voyant le porte-jarretelles en dentelle noire. Pas des collants, des bas. Avec un temps pareil, elle a dû geler. La station de métro est à cinq minutes de marche. » Elle espérait sans doute finir la nuit en beauté, pense-t-elle, mais sans le dire. Avec Boris. « On l'a même pas entendue tomber », dit Laure. « C'est arrivé pendant qu'on jouait aux cartes », ajoute Diderot — qui semble anéanti par ce constat. Il regarde Marjolaine, puis Ali. « Vous autres, pourtant, vous ne jouiez pas. » Marjolaine se hérisse : « Comment voulais-tu qu'on entende ? Vous arrêtiez pas de vous chicaner ! » Sortie de ses gonds, la porte tangue et donne à la pièce un air dévasté. À la télévision, la femme à l'imper discute avec un homme qui fume le cigare. À la radio, une chanson de Gilbert Bécaud évoque un voyage à Moscou avec une certaine Nathalie, guide touristique. « Vous avez une idée où on peut joindre sa famille ? » demande Raoul. Denise secoue la tête. Marjolaine pense que toute la famille vit en Gaspésie. « Mais elle a une sœur ici, dit Laure. Sur la rue Pie IX, il me semble. Ou bien c'est sa nièce. Je ne sais plus. »

Boris arrive avant Urgences-santé. Avec cet accident sur la route, il n'a pu se rendre à la frontière. Les filles vont devoir dormir au motel. Il a faim, il est en forme pour jouer jusqu'à l'aube. « Il te reste du spécial des fêtes ? » demande-t-il à Ali. Ali, dont le visage a tourné au verdâtre, tremble comme une feuille — cette peur qui vient de loin, toujours tapie, prête à bondir dès qu'il entend le mot « police ». Ses papiers sont-ils seulement en règle ? Pour le spécial des Fêtes, il est incapable de répondre. La neige tombe aussi dans sa tête et son cerveau est engourdi. « Mais qu'est-ce qui se passe ? reprend Boris. On dirait que vous avez perdu un pain de votre fournée. » Puis, il voit la porte fracassée. « Doris, explique Diderot. On attend l'ambulance. » D'ailleurs, la sirène se fait entendre dans le lointain.

« Où il est passé, celui-là ? » s'exclame soudain Marjolaine. Les autres la regardent sans comprendre. « L'homme en noir, insiste-t-elle. Celui qui buvait du thé. » Sa place est vide. « En plus, il est parti en emportant la vaisselle. » Le journal, la tasse, la soucoupe, la cuiller, la petite théière, le sachet de sucre chiffonné, tout a disparu de la table immaculée.

2

Nuit blanche à la frontière

... deux filles qui dansent dans un bar à la frontière.

L e motel s'appelle *Sweet Dreams*. C'est en bois, bleu ciel pâle écaillé, c'est posé au bord de l'autoroute morne aux abords de Lacolle, ça ne paye pas de mine, l'enseigne lumineuse qui l'annonce aux passants brille par intermittences dans la nuit — le néon de son S majuscule brûlé. On se demande quelle sorte de rêve on fait dans un endroit pareil, si même on peut rêver. *Wet dreams*, oui — avec ce *e* en trop qui cherche ingénument à camoufler l'évidence. Mais il n'y parvient pas : tout le monde sait quels rêves on peut faire là.

Pour l'instant, dans la cabine numéro 4, le rêve est absent — la réalité a envahi tout l'espace. La lampe de chevet est allumée, à la télévision, un gros homme chauve écrase son cigare dans un cendrier. Il grince des dents. *You are a stupid girl, Lola.* Derrière le verre de ses lunettes, ses yeux se rétrécissent, ne forment plus qu'une fente menaçante.

Jenny est assise au milieu du lit, adossée aux oreillers, les genoux repliés. Elle mange fébrilement des chips au vinaigre, le téléphone à côté d'elle. Des grains de sel adhèrent à son rouge à lèvres cornaline, scintillent autour de sa bouche. On entend l'eau ruisseler dans la salle de bains : Daphné prend sa douche. Puis, le bruit d'eau se tait, la porte de la salle de bains s'ouvre et Daphné apparaît, ses cheveux blonds mouillés prisonniers dans une serviette élimée. À part cette serviette, Daphné est nue — la vérité qui sort du puits. Mate, menue, impeccablement et intégralement épilée. On dirait une poupée. Elle cligne ses yeux en amande et marmonne que ce motel est un trou minable, on gèle comme des rats là-dedans. « J'ai pourtant mis le thermostat au maximum, ajoute-t-elle.

— T'as qu'à t'habiller, dit Jenny.

— J'vais quand même pas dormir avec mes jeans. J'ai pas apporté mon pyjama, imagine-toi. J'avais pas prévu finir la nuit comme ça.

— Qu'est-ce que t'avais prévu ? » demande Jenny. Le ton est un peu sarcastique. Ou pas.

« La finir toute seule, dans mon lit. À part de ça, dans la douche, l'eau est rouillée. Il y a des taches jaunes dans la baignoire. Minable, je te dis. C'est quoi, le film ? »

Jenny répond qu'elle n'en sait rien, un navet quelconque, elle n'a pas vu le titre, c'était déjà commencé quand elle a ouvert la télé. « J'ai pas rejoint Stéphane, ajoute-t-elle. J'ai laissé un message sur le répondeur. Il va sûrement rappeler. » L'homme au cigare ouvre un tiroir de son bureau, dans un éclair on aperçoit le revolver noir posé sur un buvard. Un très vieux film.

« Tu te démaquilles pas ? s'étonne Daphné.

— Trop fatiguée. »

Daphné s'assoit au bord du lit. « C'est mauvais pour la peau, dormir maquillée, tu savais pas ça ? Tu vas avoir plein de petits boutons dans la face demain matin, dit-elle.

— J'attends que Stéphane me rappelle.

— Pis t'as pris les deux oreillers », constate Daphné.

Jenny se redresse, lui tend celui enveloppé dans la taie d'oreiller rose, garde le bleu avec des fleurs — des bouquets d'œillets blancs entourés de ruban rose fané. « Des oreillers dépareillés. Y a pas à dire. On est loin d'avoir abouti dans un palace.

— Plains-toi pas, dit Jenny. Un vrai miracle qu'on ait trouvé un motel à une heure pareille. Sinon, on aurait passé la nuit au club, pis là... J'aime autant pas y penser. »

Daphné s'éponge les cheveux, laisse tomber la serviette sur le plancher. « C'est mauvais de dormir la tête mouillée, ironise Jenny. Demain matin, tu vas tousser. »

Plus tard, elles sont toutes deux couchées, en jean et en chandail, sous les couvertures trop minces, et elles claquent des dents. « Je me demande s'il marche, dit Jenny qui tend la main vers le téléphone. Avec la tempête, les lignes sont peut-être coupées. » Mais elle entend la sonorité, il fonctionne. « Pis, il a fallu que j'oublie mon cellulaire. » Elle recompose le numéro, attend. « C'est encore moi, mon bébé. Écoute, je suis trop inquiète. Rappelle-moi. À n'importe quelle heure, dit-elle. S'il te plaît. » Elle repose l'appareil sur la table de chevet. « Toujours le maudit répondeur. Deux heures et demie, je me demande où il est passé.

— Qui ? demande Daphné d'une voix ensommeillée.

— Stéphane, de qui veux-tu que je parle ?... À propos, j'espère que ça va pas te déranger ?

— Quoi ?

— Que Stéphane me rappelle à n'importe quelle heure.

— Si je dis oui, qu'est-ce que ça change ? »

Mais elle est sûre qu'il n'appellera pas. Les filles comme Jenny ressemblent à sa mère : elles passent leur temps à attendre à côté de téléphones qui ne sonnent pas.

Jenny éteint la lampe, se tourne sur le côté sans répondre. « Moi, je dors, la soirée a été crevante. Bonne nuit, Jenny, dit Daphné en se tournant de l'autre côté. *Sweet dreams*, mon bébé. »

Jenny rallume la lampe de chevet. Daphné grogne en se frottant les yeux. « C'est quoi, ton problème ?

— J'angoisse », dit Jenny.

Daphné se redresse à son tour dans le lit. « J'angoisse toujours quand je sais pas où est Stéphane, explique Jenny. J'peux pas dormir. J'ai toujours peur qu'il lui soit arrivé quelque chose. »

L'homme chauve a refermé le tiroir. La fille — une blonde — allume en tremblant une cigarette. Gros plan sur son visage. Ses paupières battent. Une larme roule sur sa joue. *I am so sorry*, chevrote-t-elle. *I didn't do it on purpose.* Derrière elle, on voit dans une fenêtre la pluie tomber. *On purpose!* grogne le chauve. *Well, I guess so!* Il fait une moue méprisante qui l'enlaidirait encore, si c'était possible de l'enlaidir. Avec ses bajoues, son nez camus, il évoque un hybride du crapaud et du bouledogue. Une sorte de cruauté, comment dire, placide? flotte dans son regard. *Stupid girl*, répète-t-il. Par la fenêtre du motel, c'est la neige, toujours la neige, dense, compacte, un brouillard blanc qu'à l'occasion perce la lumière des phares d'une automobile solitaire.

« Tiens, moi aussi, j'ai envie de fumer, dit Daphné. Mais j'ai la flemme de me lever. T'en as pas à côté de toi ? » Jenny prend son paquet de légères mentholées et le cendrier sur la table de chevet, les dépose entre elles sur le lit avec le briquet. Les deux filles allument leur cigarette, fument en silence.

« T'es drôle, je trouve. Des cheveux blonds, ça va pas trop bien avec des yeux en amande. Y a quelque chose qui sonne faux, reprend Jenny après un instant. C'est pareil quand tu fais ton show. T'as pas vraiment le genre. C'est comme ton nom, Daphné, un drôle de nom. Pourquoi tu danses ?

— Parce que ça paye », répond laconiquement Daphné.

Elle écrase son mégot, s'installe en chien de fusil, met l'oreiller rose sur sa tête, elle n'a pas envie de parler, mais Jenny, elle, est nerveuse. Elle se lève, va chercher un verre d'eau, en boit une gorgée. « T'as raison, l'eau goûte le rouillé, dit-elle en faisant la grimace. Penses-tu que c'est de l'eau potable ?

— En tout cas, je suis pas encore morte », répond Daphné.

Jenny jette un coup d'œil sur l'écran de la télé. « Elle ressemble à Ingrid Berman, cette femme, je me demande si c'est elle.

— Connais pas, marmonne Daphné.

— Une actrice des années cinquante. Je l'ai déjà vue dans un vieux film de ce genre-là, en noir et blanc. Stéphane avait loué le DVD. Une histoire d'amour avec un pianiste, il me semble. Pendant la guerre. Je me suis endormie avant la fin. Ça l'a mis hors de lui. Il se fâche toujours quand je manque la fin. Mais j'y peux rien. Ça m'endort, les films, surtout en noir et blanc. »

Daphné ne répond pas.

« De toute façon, dans ces films-là, tout le monde meurt toujours à la fin. Moi, j'aime pas ça.

— Mmmm.

— Ça te dérange pas, toi ?

— M'en fous.

— Dans la vie aussi, je veux que ça finisse bien. »

Pleurant toujours, la blonde Lola sort de la pièce. Le gros homme se lève, marche pesamment jusqu'à la fenêtre, regarde la fille s'éloigner sous la pluie.

« Il me semble que quand on est pas obligée, on peut faire autre chose que danser, reprend Jenny. Moi, j'te jure, si j'avais le choix, je danserais pas. Mais un jour, je l'aurai. Le choix.

— C'est pour aller en Chine, avoue enfin Daphné.

— En Chine ? »

Silence.

« Pourquoi en Chine ? » insiste Jenny

Silence.

« Dors-tu ?

— Non, mais c'est pas parce que j'en ai pas envie, soupire l'autre, excédée.

— La Chine, c'est trop loin, je trouve. Moi, j'irais plutôt, je sais pas, dans une île avec des palmiers. Sinon, j'irais visiter une vieille ville avec Stéphane, une ville historique en Europe, une ville romantique, Venise, Amsterdam, Moscou, Paris.

— Moi, ce serait Prague, dit Daphné. Ou même Sofia. J'ai toujours eu envie d'aller là, je sais pas trop pourquoi.

— Sofia ? C'est où, ça ?

— En Bulgarie. »

Jenny réfléchit. « En Bulgarie, oui, peut-être. J'y avais pas pensé.

— Sinon, Séville. Ou Saint-Pétersbourg, peut-être, poursuit Daphné, rêveuse.

— Floride ?

— Ben non, nounoune, pas ce Saint-Pétersbourg-là. »

Daphné dit qu'elle est née là-bas, en Chine, elle a été adoptée quand l'Occident a commencé à s'attendrir sur le sort des petites Chinoises. Autrement, on l'aurait peut-être jetée dans le fleuve ou dans le conteneur à ordures. « Mais j'ai eu de la chance, on m'a mise dans le bac de récupération. C'est comme ça que je suis là. » Elle pouffe de rire.

« Ah oui, vraiment, on peut dire que j'en ai eu, de la chance, faire la guidoune au bar *Geishas*. Ou la geisha au bar *Guidounes*. J'aurais peut-être été mieux au fond du Yangzi Jiang. Je dormirais avec les poissons.

— Du quoi ?

— Du Yangzi Jiang, un fleuve chinois. »

N'empêche, continue-t-elle, elle voudrait retrouver sa famille. Du moins les paysages où elle a vu le jour. C'est tellement grand, la Chine. Presque aussi grand que le Canada. La différence, c'est qu'il y a tellement de monde là-bas, les gens, on ne les compte pas. On ne peut même pas se figurer combien de bébés naissent chaque seconde. Et combien meurent. Toutes ces recherches vont lui coûter les yeux de la tête et c'est pour ça, oui, seulement pour ça qu'elle danse. Si elle retrouve un jour sa famille, elle veut avoir une explication franche. Pourquoi ils l'ont abandonnée, c'est ça qu'elle veut savoir. Parce qu'ils espéraient un garçon, ils ont été déçus quand ils ont vu qu'il lui manquait la petite queue entre les jambes ? Ces questions la hantent. C'est trop dur de vivre sans jamais comprendre. Surtout pendant l'enfance. Elle veut qu'on lui donne une réponse. Et elle veut la comprendre. C'est pour ça que, le dimanche, elle suit un cours de mandarin dans le quartier chinois. « C'est vrai, en Chine, ils ne veulent rien savoir des bébés filles, dit Jenny. Même qu'à présent, il en manque, des filles, c'est devenu un problème, il paraît. J'ai entendu ça à la télévision, l'autre jour. On devrait aller danser en Chine, toi et moi. On aurait du succès. »

« Pis toi ? demande Daphné.

— Moi aussi, c'est pour le fric, qu'est-ce que tu penses ? T'en connais qui font ça pour le plaisir ? »

Daphné répond que oui. « En tout cas, dit Jenny, pas moi. C'est pas pour le plaisir. Ni pour aller en Chine. Pour aller nulle part, en fait. Je reste ici. Quand j'aurai assez d'argent de côté, on va acheter une maison avec Stéphane. Il aimerait bien au bord du Richelieu, une vieille maison à deux étages en bois avec un jardin derrière. Des fois, l'après-midi, on prend l'auto, on se promène dans les villages, on choisit celles qu'on préfère. Quand il y a un écriteau "À vendre" devant la porte, on va visiter. Tu sais qu'il y en a qui vendent leur maison toute meublée ? Des vaisseliers en érable, en acajou, avec la vaisselle encore dedans, des coffres en cèdre remplis de vieilles catalognes qui sentent la boule à mites, des horloges qui marchent plus sur les buffets, des coucous dans la cuisine.

— Ce sont des vieux, j'imagine, dit Daphné. Les vendeurs.

— Oui, des vieux qui sont plus capables de rester chez eux, leurs enfants leur ont trouvé une place dans un foyer. Ils vendent leurs affaires. C'est triste, mais qu'est-ce que tu veux qu'on y fasse ?

— Un jour, ce sera notre tour.

— Dis pas ça, ça me donne la chair de poule… Son atelier sera en haut, à cause de la lumière. Avec de grandes fenêtres. J'ai tellement hâte de m'occuper des fleurs. Il y aura des pivoines, c'est sûr, j'adore les pivoines. Je nous donne encore deux ans. Tu devineras jamais combien j'ai dans mon compte d'épargne. »

Daphné hausse les épaules.

« Quatre mille huit cents.

— Quatre mille huit cents ! Si c'est avec ça que tu penses acheter une maison au bord du Richelieu ! Tu rêves en couleurs ! T'auras à peine de quoi payer les graines de pivoines pour ton jardin.

— J'ai dit deux ans, ce sera peut-être trois ou quatre, proteste Jenny.

— Ouais. T'as pas fini de te faire aller les jos pis le reste, ma pauvre. »

Jenny ne répond plus. «Boude pas, dit Daphné. Je disais ça comme ça. Excuse-moi.

— Ça fait longtemps qu'on est ensemble, Stéphane et moi, reprend Jenny. On s'est connus à la polyvalente. Quand on aura assez d'argent de côté, je vais m'acheter une robe à la boutique *Oui, je le veux* sur la plaza. Je l'ai déjà choisie dans un catalogue. Toutes leurs robes ont un nom, la mienne s'appelle "Amour courtois", avoue que c'est beau? Une robe de dame du Moyen Âge, comme on voit dans les films, blanche avec des oiseaux brodés bleus et jaunes autour du cou, une traîne, des manches très larges, tes bras se perdent dedans. On va faire un beau mariage avec un orchestre, des fleurs, un photographe, même des demoiselles d'honneur. Juste pour rire, tu vois le genre, la danseuse nue qui se refait une virginité. T'imagines, des hommes en habit de soirée avec leur violon, une femme blonde, très chic, avec un beau visage comme celui de l'actrice, là, à la télé, les cheveux attachés en chignon par des peignes en brillants, qui joue de la harpe sur une estrade, des lis dans des vases en cristal sur toutes les tables. Oui, des lis, j'y tiens absolument. À cause du symbole, tu vois. C'est important, les symboles. Si t'es encore dans les parages, c'est sûr que je t'invite. Tu vas venir?»

Daphné répond qu'elle ne manquerait pas ça pour tout l'or du monde. «Je serai même ta demoiselle d'honneur, si tu veux, dit-elle.

— Après, conclut Jenny, j'imagine qu'on pourrait aller passer quelques semaines en Europe. Stéphane, lui, il rêve de visiter des musées. On irait à Venise, à Paris ou dans cette autre ville dont tu parlais.

— Sofia, dit Daphné.

— Oui, Sofia. Ou dans une île.»

À présent, Daphné est complètement réveillée. Voilà qu'elle meurt de faim. Elle se demande s'il y a une pizzeria qui livre, dans le coin. Jenny est sceptique. « À cette heure-ci ? Avec cette tempête ? Ça m'étonnerait. » Puis, elle se rappelle avoir vu un dépliant publicitaire tout à l'heure sur la télé. *Gino's Subs & Pizzas, Livraison gratuite, Free Delivery. 24 heures par jour, 24 Hours a Day.*

Gino livre, même dans la tempête. Son employé ressemble à l'abominable homme des neiges. Jenny lui laisse deux dollars de pourboire. Il repart en grognant dans la nuit qui l'avale. « T'as vu ce type ? Sympathique comme une porte de prison, dit Jenny.

— Mais on s'en fout, répond l'autre. Du moment que la pizza est là. »

Le carton est ouvert sur le lit. Daphné dévore avec appétit, une pointe puis une autre, elle se lèche les doigts, elle dit que la pizza, elle mange toujours ça la nuit. Jenny grignote, elle n'a pas faim. Un Pepsi grand format vient en prime avec la pizza — toute garnie, pas d'anchois. Jenny en verse dans son verre, fait la grimace. « Même pas froid. »

« Ton vrai nom, c'est quoi ? demande-t-elle.

— Daphné, répond Daphné.

— Bizarre. D'habitude, les filles aiment pas trop danser sous leur vrai nom, c'est pas prudent. Si t'es chinoise, tu devrais prendre un nom chinois. Fleur de thé, par exemple. Et maintenant, directement de l'Empire du Soleil levant, parodie-t-elle, applaudissez la fabuleuse, l'irrésistible Fleur de thé dans son numéro exotique. Tu arriverais en kimono sur la scène, des aiguilles à tricoter dans les cheveux, tu danserais à petits pas. »

Daphné ne rit pas. Elle a même l'air blessée. « Le kimono, c'est japonais, dit-elle.

— Les Chinoises aussi en portent, il me semble, proteste Jenny. D'ailleurs, qu'est-ce que tu penses, les clients s'en fichent complètement. Pour eux, la Chine et le Japon, c'est du pareil au même. Ils savent juste que c'est loin. Ils sont incapables de faire la différence.»

Mais Daphné dit qu'elle ne veut surtout pas faire dans le folklore, elle a horreur du folklorique. C'est même pour ça qu'elle se teint en blond, fait son numéro déguisée en fille du Far West, bottes, stetson, veste à franges — ce folklore-là n'a rien à voir avec elle. Les hommes deviennent comme fous quand elle a tout enlevé sauf les bottes ou, parfois, le chapeau. Elle a appris à faire des tourniquets avec un lasso. Une bonne fois, elle va en attraper un par le cou, comme si c'était un veau, et tirer, tirer, jusqu'à le voir sortir la langue, la face toute bleue. Elle le fera le dernier soir, juste avant de partir pour la Chine.

« Moi, c'est Julie, Julie Masson, dit Jenny. On n'a aucune chance de succès avec un nom pareil.» Daphné approuve : «Bien trop banal, Julie Masson. C'est comme moi, Daphné Laframboise. Je te mens pas.»

Jenny sourit. «Laframboise, je t'aurais pas imaginé un nom comme ça.

— Moi non plus», dit Daphné.

Au fond, continue-t-elle, les clients sont des rêveurs, ils paient pour avoir l'illusion d'être en voyage. Le bordel au bout du monde, les ports dans la brume et les bateaux qui tanguent. Alors Masson et Laframboise! Daphné l'intrépide aurait galopé depuis le Sud profond. Jenny serait une Irlandaise égarée sur les docks, à Southampton. Elle monterait sur la scène en imper, un feutre incliné sur la tête, se déshabillerait sur la musique d'une vieille série B.

« Au début, j'avais choisi Flora, dit Jenny, rêveusement. Je trouvais ça romantique, Flora. Stéphane n'a pas voulu.

Quand je lui ai dit ça, tu aurais dû le voir. Bon, moi, je l'avais jamais vu comme ça. C'était le nom de la grand-mère de son peintre préféré, une sorte de féministe dans les années mille huit cent. On aurait dit que je commettais un genre de sacrilège. C'est lui qui a trouvé Jenny.»

Le téléphone reste muet. Jenny ronge l'ongle de son pouce gauche. «Pourquoi tu t'inquiètes? demande Daphné. Il doit faire la fête avec les gars. Tu sais comment ils sont.» Justement, proteste Jenny en s'animant, Stéphane est différent. Il est, comment dire, il est fragile, oui, fragile, c'est ça. Lui aussi, il angoisse quand elle n'est pas là. On prétend que les hommes ne pleurent pas, mais lui, il pleure souvent, en fait, il passe du rire aux larmes, il est un peu comme un enfant. «Maniaco-dépressif, décrète Daphné, la bouche pleine. Bipolaire, comme on dit maintenant. Je suis au courant, ma mère adoptive avait le même problème. Il leur manque du lithium dans le système.

— Ah! Ta mère est morte? demande Jenny qui a sursauté en entendant le verbe à l'imparfait.

— J'en sais rien, en fait.»

Jenny semble abasourdie.

«J'veux dire que je l'ai pas vue depuis la nuit des temps. Elle doit encore avaler ses cocktails de médicaments, évachée à cœur de jour devant les soaps, de vieux machins américains, la plupart du temps, qui passent sur le câble, une boîte de kleenex sur le sofa à côté d'elle. Toujours en train de pleurnicher. J'pouvais plus supporter l'atmosphère chez nous. Pis ses romans. Il en traînait partout dans la maison.

— Moi aussi, j'en lis, dit Jenny.

— Ouais… C'est même à cause de son personnage préféré qu'elle m'a appelée Daphné. Elle pensait que ça me porterait chance. Je lui en veux pas. Daphné, j'aime ça. C'est

Laframboise que je digère pas. T'imagines les farces plates que les clients feraient s'ils savaient? Montre-nous ta cerise, Framboise… Un jour, je vais retrouver mon nom chinois.

— Masson, c'est guère mieux, dit Jenny. À l'école secondaire, il y en a qui m'appelaient «Julie ma suce». Je le sais. Je les ai entendus.»

Elles restent silencieuses quelques instants. «Des cons, conclut Daphné.

— Un gars avec qui j'étais sortie une couple de fois leur a raconté toutes sortes d'histoires. Même pas vraies…

— Il paraît que maintenant, les filles de secondaire deux ont des cartes de pipes, comme le Second Cup, tu sais: t'en payes dix, la onzième est gratuite. D'une certaine façon, je suis d'accord avec ça. Rien pour rien, c'est mon principe.

— Mais c'était pas vrai, je te dis.

— Mmmm.

— Toi, Daphné, t'as pas un chum?

— Non, pis j'vais te dire une chose: j'en veux pas. T'en as un, et regarde comment il te traite. Si ça se trouve, en ce moment, il est avec…

— Avec qui?

— Laisse faire. On peut jamais leur faire confiance.

— Sauf à Stéphane. Moi, je fais confiance à Stéphane.

— Bon, ben tant mieux pour toi.»

Elle fait une moue désabusée.

«Il y a une chanteuse qui s'appelle Daphné, dit Jenny.

— Je sais. Plutôt quétaine, si tu veux mon avis.

— Je trouve pas.»

Elle semble tout à coup frappée par une idée. «La musique du film, écoute…

— Quoi?

— Ben, c'est ça. La chanson de Daphné. C'est le même air.

— T'as raison. Ça se peut… Pour en revenir à ma mère, mon père adoptif l'a quittée quand j'avais neuf ans. Il s'est remarié avec une psychologue, ils ont trois enfants. Tu veux que je te dise : tant mieux pour lui… Quand j'étais petite, je me rappelle que ça me dégoûtait de le voir manger des huîtres crues avec leur jus, du fromage bleu sur ses toasts le matin.

— Ouach ! s'exclame Jenny. Tu parles d'un déjeuner. »

Daphné sourit. « Des toasts au pain français, évidemment. Un fin gourmet, mon père… Lui, je l'appelle de temps en temps. La dernière fois, quand il m'a demandé comment je me débrouillais, j'ai répondu que je dansais. Il a dit : "Danse classique ou ballet jazz ?" Je te jure, c'est vrai. Un peu épais, tu vois le genre.

— Qu'est-ce que t'as répondu ?

— Classique, évidemment. J'ai raconté qu'on préparait *Casse-Noisette*. Une nouvelle chorégraphie complètement révolutionnaire. »

Elle pouffe de rire. « *Casse-Noisette*, plutôt ironique, avoue ! On pourrait pas mieux dire. Ma mère adoptive m'emmenait voir ça tous les Noël quand j'étais petite. En fait, ça m'a donné une idée pour un numéro. Ma chorégraphie, ça va être tellement de l'inédit que le vieux Tchaïkovski — c'est le compositeur, au cas où tu le saurais pas — va se retourner dans sa tombe. N'empêche, il a eu l'air impressionné. Il m'a demandé de lui dire les dates du spectacle, il veut venir m'applaudir.

— La famille de Lolita, ils viennent la voir, des fois. Ses frères, ses cousins, et même son père.

— Je lui dirai peut-être. On verra.

— Moi, ma mère, je la vois toutes les semaines, mais on parle pas vraiment de mon travail ensemble. Sauf qu'elle découpe des petites annonces des journaux, note les offres d'emploi dans les magasins du quartier. Ils ont besoin d'une caissière à la fruiterie, d'une serveuse à la pizzeria. Ces jobs-là, ça paye pas. Mais je la remercie de penser à moi.

— Qu'est-ce que tu veux, dit Daphné, danseuse nue, une mère n'a pas de quoi être fière. Si je retrouve ma mère chinoise, je lui dirai pas. Ou peut-être que oui. »

Jenny explique que Stéphane, lui, c'est un artiste authentique, il fait de la peinture. Elle parle et parle, quand elle parle de Stéphane, elle devient intarissable. Il ne peut pas gagner sa vie avec son art, pas encore, ce n'est pas sa faute, c'est le milieu qui est difficile, la jalousie, les coups de poignard dans le dos, si tu savais. Il y a tellement d'argent en jeu. Stéphane lui a raconté l'histoire de peintres dont les œuvres valent aujourd'hui des millions, mais qui ont passé leur vie dans la misère. « Si tu savais, répète-t-elle. Dans des taudis, les mains gelées, incapables de travailler. La plupart avaient la tuberculose, crachaient du sang. D'autres allaient au bordel et attrapaient la syphilis. Et comme la pénicilline n'était pas inventée à l'époque, ils devenaient fous, on les enfermait dans des asiles qu'on peut même pas s'imaginer. Pires que des prisons. Attachés à leur couchette, ils criaient toute la journée. Quand ils criaient trop fort, les gardiens les arrosaient avec des jets d'eau. Pour finir, ils mouraient dans des souffrances épouvantables. D'autres étaient tellement pauvres qu'ils étaient obligés d'échanger des dessins contre un repas chaud. Des fois, les restaurateurs refusaient, tu te rends compte ? Leurs descendants doivent s'en mordre les doigts à présent quand les toiles sont vendues aux enchères et que des émirs milliardaires les achètent pour décorer leurs palais dans le désert.

— Un vrai racket, approuve Daphné. Le pire, c'est qu'il paraît que la moitié de ces tableaux sont faux. »

Jenny ne veut pas d'un avenir comme celui-là pour Stéphane. Mais lui, ça le démolit de la voir faire la danseuse. Elle a beau lui répéter que c'est juste temporaire, il n'est pas consolé pour autant. Il a essayé de travailler l'an dernier, un truc de réinsertion sociale dans un atelier d'émaux sur cuivre, au salaire minimum, évidemment, il ne gagnait même pas assez pour payer ses canevas et ses tubes de peinture. Il a demandé des bourses à toutes sortes d'organismes et ne les a jamais eues. Il n'est pas assez connu. Il est trop en avance sur son temps. « Si tu voyais comme c'est beau ce qu'il fait, Daphné. Toutes ces couleurs, c'est comme des paysages de science-fiction. Des fois, on dirait des chevaux qui galopent dans le feu, d'autre fois, t'as l'impression de dégringoler dans un précipice noir, au fond, il y a des fleurs, des oiseaux, des bestioles marines effrayantes avec des antennes, des tentacules, des pattes poilues. Des fois, je pense que c'est moi sur la toile, je me reconnais, je suis couchée sur un nuage en forme de papillon, d'éléphant, de chameau à trois bosses, je ressemble à une déesse, j'ai mes cheveux qui flottent dans le cosmos, ou bien je suis suspendue à un trapèze qui se balance dans le ciel au milieu des étoiles. Quand j'étais petite, je rêvais de faire ça, acrobate dans un cirque, funambule, équilibriste. Il rit quand je vois ces choses-là. Il dit que j'ai rien compris, que c'est pas ça, c'est pas figuratif, c'est au niveau des émotions pures. T'écoutes, Fleur de thé ? » Un marmonnement. Jenny continue de parler. C'est vrai qu'elle est intarissable. Dans deux ans, peut-être trois, ils auront leur maison au bord de la rivière Richelieu, des pivoines rouges et bleues dans leur jardin, Stéphane exposera dans des galeries du monde entier, peut-être même dans des musées, il gagnera tellement d'argent qu'ils ne sauront plus quoi en faire, ils auront des enfants, de beaux enfants, au moins deux, il faut juste un peu de patience. Elle ne dansera plus jamais, sauf pour lui, s'il insiste, et encore. « Penses-tu que j'aime ça me trémousser, surtout

des soirs comme ce soir, devant d'affreux bonhommes qui
se masturbent dans des essuie-tout ? Y en avait un, t'as dû
le voir, il ressemblait à une chenille à poil, tout maigrichon,
pâle comme la mort, qui bavait dans sa barbe sale. Sale, je
te jure, c'est vrai, on voyait du jaune d'œuf dedans, du
ketchup pis je sais pas quoi encore. Danse contact, tu
parles ! J'ai failli dégueuler quand il a approché sa main. »

La lumière jaune est toujours allumée, la dernière
pointe de pizza se racornit dans son emballage en carton,
sur le lit. Jenny parle et parle, s'arrête un instant pour
ronger au sang l'ongle de son pouce. Mais, couchée sur le
dos, une jambe repliée, les bras croisés derrière sa nuque,
Daphné s'est endormie.

3

Boulevard Taschereau,
le soir dans la rafale

*Une collision frontale, un carambolage
sur le boulevard Taschereau.
... des tableaux de Gauguin [...] chatoient dans la mémoire...
... des vahinés ornées de fleurs...
Stéphane, lui, c'est un artiste authentique, il fait de la peinture.*

Q uelles rafales sur le boulevard Taschereau! Neige et
neige. Ciel indéfini, pas d'étoiles visibles. Neige et
nuit. Palpable, le paysage. La blancheur, on entre dedans
comme dans une cathédrale. Le même silence solennel
rempli d'échos. Nuit blanche de Saint-Pétersbourg sur le
boulevard Taschereau. Stéphane pense à Dostoïevski, un
visage torturé flotte et s'attarde dans l'habitacle de son
auto. Fedor Mikhaïlovitch, je te salue, dit-il au visage
tourmenté. Stéphane lève une main, l'agite mollement, la
repose sur le volant. Bon vent, Fedor Mikhaïlovitch. Bon
vent, c'est bien, cette expression, comme si on s'adressait
au capitaine d'un vaisseau en partance. Que les vents nous

soient favorables et mènent à bon port notre nacelle, que les vents gonflent nos voiles, que nous voguions vers l'infini qui nous appelle. En plus, ça rime. T'as entendu, Fedor Mikhaïlovitch ? Tu parlais sûrement français, à l'époque, tous les Russes cultivés le parlaient. Aujourd'hui, cultivé ou non, on parle anglais. Le visage tourmenté s'estompe. Il reviendra avec Mychkine et Rogogine, Nastassia Philippovna, Aliocha Karamazov. Saint-Pétersbourg s'incarne où on décide de la voir s'incarner. Tout est possible quand l'imagination mène le bal. Deux et deux font cinq, n'est-ce pas, Fedor Mikhaïlovitch ? Ou quinze, vingt-cinq, cinquante-trois mille, quand l'imagination mène le bal. Tu le savais, toi. Perspective Nevski — géniale, cette idée de donner à une rue le nom de perspective, comme si la rue s'ouvrait vers l'infini ! — ou boulevard Taschereau, ce soir, c'est tout comme, c'est blanc et c'est la nuit.

Il roule lentement. Il a beaucoup lu, cette semaine. Soirées passées à dévorer des livres pendant que, à la frontière, Julie dansait. L'inspiration n'est pas toujours là où on l'attend, la muse ignore — ou dédaigne — parfois le rendez-vous auquel on la convie. Muse fantasque. Quand elle lui fait faux bond, il lit et cherche. Lire et chercher font partie du travail de l'artiste, mais qui le comprend ? Ils veulent toujours des résultats concrets, immédiats. L'œuvre est en gestation, la gestation est le travail caché, la partie capitale, le mystère. Invisible pour les yeux, et pourtant l'œuvre est là, omniprésente. Ongles ensanglantés, l'artiste creuse dans la chair de la vie. Qui peut le comprendre ? Julie ne comprend pas. Elle l'aime et elle croit que c'est tout ce qui compte — pour elle, il n'y a que l'amour, incurable myope, elle ne voit pas plus loin. L'amour au bout de son nez, après, le grand néant. Cette foi absurde qui veut soulever des montagnes. Je t'aime, Stéphane. M'aimes-tu, Stéphane ? Pour toujours, Stéphane.

Mon bébé. Bébé! Pourtant, il est injuste, là. D'une certaine façon, oui, elle le comprend. Du moins, elle essaie. Elle accepte. Il y a comme une lueur parfois dans ses yeux, tout au fond.

Il a relu toute l'œuvre de Dostoïevski, l'œuvre complète, dans un état de fièvre, *Les pauvres gens, L'adolescent, Le joueur, Les souvenirs de la maison des morts, L'idiot, L'homme du sous-sol, Les frères Karamazov, Humiliés et offensés, Les possédés, Les nuits blanches de Saint-Pétersbourg,* dans la fièvre et dans le désordre, et il a lu les écrits de Gauguin. Entre le nord et le sud, il oscillait. Entre les deux solstices — c'est au solstice d'été que, à Saint-Pétersbourg, la nuit est blanche. Ce soir, après avoir refermé *Noa Noa,* il ne tenait plus en place. Trop de mots et d'images, un tourbillon. Visages hâves, silhouettes efflanquées de révolutionnaires et de joueurs pathologiques épileptiques prenaient soudain vie dans la luxuriance de Tahiti, au milieu de vahinés aux seins nus, le cou orné de fleurs. Sinon, les mêmes vahinés apparaissaient avec leurs fruits, avec leurs fleurs dans un décor arctique, taches de couleurs se mouvant dans l'aveuglante blancheur. Un vrai ballet — si seulement Julie dansait comme ça. Mais sait-il seulement comment elle danse? Pour lui, Julie ne danse pas, elle a trop honte. Vahinés sans honte, beautés brunes, seins lourds, hanches généreuses, faisant onduler des écharpes aux couleurs chatoyantes, vibrantes, semblables à des queues de comète agitées dans l'espace. À l'arrière-plan, un iceberg glisse lentement, majestueusement. Cacatoès au plumage émeraude et grenat, aras, flamants roses, toucans noirs au bec jaune éclatant y sont perchés. La dérive des continents. L'ourse et ses oursons polaires somnolent sous les palmiers.

Malgré la tempête, il a sauté dans sa voiture — son bazou, en fait. Besoin de décompresser, de mettre en ordre ses idées. Dérive des continents, une grande suite, au moins quinze tableaux, une intuition, plus encore, une vision. Oui, il les voit déjà. Ou bien une fresque, ce serait encore mieux. Reste à trouver le mur où il pourra la peindre. Des dates, des événements, des noms virevoltent dans sa tête, flocons de neige dans la tempête. Le cerveau est en état d'effervescence. Bon vent. File vers le large, ô mon navire, affronte les éléments hostiles, ô mon âme, flotte, libre et fière, à la proue, déroule ta chevelure comme la queue d'une comète, vibre et ondule, fais exploser l'espace. L'artiste ne se réalise que dans la démesure — c'est à la fois sa chance et le boulet qu'il traîne. À la fois damné et béni, l'artiste assume son destin entre les extrêmes. Écartelé.

Stéphane roule lentement. S'il savait où Julie danse ce soir, il irait la chercher. Il ne le sait pas, elle refuse catégoriquement de le lui dire. Elle a trop peur qu'il vienne et la surprenne. S'il la voyait, il ne l'aimerait plus. C'est ce qu'elle pense. Elle doit avoir raison. Il vaut mieux pour lui rester dans l'ignorance.

Dire qu'elle avait choisi Flora pour son nom de danseuse. Flora. Il a tout de suite pensé à la grand-mère de Gauguin, Flora Tristan. En 1844, Flora Tristan sillonnait la France pour rallier ouvriers et paysans à son projet de réforme, l'Union ouvrière. Flora la féministe, elle voulait réformer la société, en créer une qui soit enfin juste, Flora l'indomptable, la paria. Quarante et un ans et un pied dans la tombe déjà à force d'épuisements, de privations. Il a dit non. Jamais. Il a même crié. C'est hors de question. On ne verra pas Flora s'exhiber dans les bouges. Non. La lèvre de Julie a tremblé. Allait-elle pleurer ? Il s'est radouci. Il a proposé Jenny.

Une date surgit du chaos : 1880. Flocon de neige parmi les flocons de neige, une date s'immobilise dans la tourmente. Stéphane récite à voix haute : première exposition de Gauguin avec les impressionnistes, Tahiti devient une colonie française, Dostoïevski publie *Les frères Karamazov*. Le monde est une bulle, tout se rejoint, tout est lié subtilement. Les essuie-glaces grincent sur le pare-brise où s'abat la neige, les essuie-glaces ahanent. Vieux bazou, cheval fourbu, avance. Il allume la radio. Ah ! ta gueule, Charlie ! C'est trop débile, ta vieille rengaine sur Venise quand on ne s'aime plus. Même alors, on ne peut pas ne pas aimer Venise, crétin. Et si Venise est triste, on aime la tristesse, c'est tout. Il éteint la radio, farfouille sur le siège du passager à la recherche d'une cassette. Il a enregistré des chants polynésiens l'autre jour, où est-elle passée ? Il est sûr de l'avoir apportée. Il ne la trouve pas, tant pis. D'autres voix sont là pour meubler le silence.

Tout se meut dans la même bulle, les distances, spatiales ou temporelles, sont abolies, voilà le miracle. 1881. Gauguin travaille avec Cézanne, ce créateur immense, Flaubert publie *Bouvard et Pécuchet*, qui est loin d'être sa meilleure œuvre, mais enfin, Pablo Picasso voit le jour à Malaga. Mais non, il se trompe, *Bouvard et Pécuchet*, c'était en 1880, un an après la mort de Flaubert, son roman posthume, inachevé. Il n'est plus sûr. Et, tout compte fait, c'était peut-être sa meilleure œuvre. La quête du savoir universel, ce projet mégalomane... En tout cas, Sofia Lvovna Perovskaïa, une anarchiste — il l'imagine comme une Walkyrie, blonde, grande et puissante, avec des cuisses comme des colonnes, une voix de contralto qui galvanise —, est pendue en 1881 pour son implication dans l'assassinat du tsar Alexandre II. Et Rimbaud a achevé son œuvre, il erre à Java, au Harar, il traîne sa patte douloureuse. Gauguin aussi a eu mal aux jambes, les jambes couvertes de pustules, et dont les démangeaisons le faisaient hurler parfois. La syphilis ne lâchait pas prise. Stéphane pense à l'albatros de Baudelaire. Leurs ailes de géants les empêchaient de marcher. Oui. Mais, quand même, quelle époque c'était. Toutes les époques sont ainsi, mais on ne le voit pas. Qui sait quel futur écrivain, quel peintre, philosophe, musicien de génie pousse en ce moment même son premier cri à l'autre bout du monde ? Dans cent ans, on le saura. Un tel est né à Tombouctou ou à Rio ou sur la Lune, pourquoi pas, pendant que lui, Stéphane Gélinas, faisait péniblement avancer sa monture dans la tempête, perspective Taschereau. Au même moment, exactement, que l'intuition de l'œuvre, telle l'arête d'un iceberg dans l'océan Arctique, pointait dans sa conscience. Dans cent ans, le nom de Stéphane Gélinas sera une valeur sûre au même titre que celui de Flaubert, de Gauguin, de Cézanne, de Dostoïevski, de Picasso. Le hasard est une imposture, seuls les médiocres y croient. Poltrons, timorés, pusillanimes. Au retour, il notera cette pensée dans son carnet, afin que la postérité connaisse le moment exact où elle a traversé son esprit et fasse les rapprochements qui s'imposent. *Le hasard est une imposture.* Tout est connecté, tout est interdépendant.

Il trouve que c'est beau quand les lueurs faibles des lampadaires traversent la blancheur. Paysage d'ouate, sons assourdis. Il est bien dans sa bulle avec tous les autres. Paysage dément, violent. Douceur du blanc, violence du blanc, violence de la douceur. On prétend que le blanc symbolise l'innocence et la douceur. C'est faux : le blanc contient toutes les couleurs, il les anéantit. Engloutissement et destruction. La blanc est la mort de la couleur. La mort est blanche. Voilà ce qu'il faut peindre. C'est comme ça à Saint-Pétersbourg quand la nuit est blanche. Le 21 juin, à l'époque de la floraison, le soleil de minuit n'est qu'à six degrés sous l'horizon et l'atmosphère terrestre continue de diffuser sa lumière. La brume monte de la Neva, elle enveloppe le cavalier d'airain dressé sur sa monture. La nuit dure cinq heures. Le 21 décembre, à Montréal, la nuit dure une éternité, mais les lumières de la ville, de la lune et des étoiles se reflètent sur la neige. Nuit blanche, à la fois violente et douce. À Saint-Pétersbourg, d'inavouables passions hantaient les cœurs et les consciences. Les yeux fermés, Raspoutine imposait les mains sur un corps inerte, psalmodiait des incantations, le tsarévitch hémophile sortait de l'inconscience. Pauvre enfant exsangue, il aurait mieux fait d'y rester. La révolution mijotait en glougloutant dans d'obscurs pots de cuivre. Au solstice d'hiver, la nuit était blanche de neige. Pauvres hères avec leurs pauvres chiens pelés grelottant sous les porches d'hôtels particuliers pendant qu'à l'intérieur le thé des samovars réconfortait les nantis. Pauvre hère, me voilà sous le porche, sans thé ni réconfort. Hâves et véhéments, anarchistes et nihilistes. Ils se réunissaient dans des sous-sols, ils apprenaient par cœur *Le catéchisme du révolutionnaire*, ils fabriquaient des bombes. Ils longeaient les canaux, un pistolet dans la poche de leur pelisse. Adossés à un mur, ils attendaient que le tsar passe dans son carrosse doré. La bombe sautait, les chevaux épouvantés se cabraient, du sang éclaboussait la neige. C'est beau, ce rouge sur la neige. Ils creusaient des tunnels sous les voies ferrées, ils attendaient que passe le train du tsar. Des wagons dégringolaient dans le ravin avec leur chargement, oranges de Crimée, boîtes de thé fumé, plats de vermeil, caviar de la mer Caspienne, casquettes, bottes et képis, moignons ensanglantés. Une tête, les orbites vides, roule sur le chemin glacé comme un ballon hanté, cherchant ses yeux.

Voilà ce qu'il faut peindre. Œil orphelin, sang sur la neige. Stéphane se sent survolté. Au solstice, les passions sont à leur paroxysme. Sanglés sur leur paillasse, les déments hurlent à la lune dans leurs asiles, l'écume aux lèvres, les forçats crachent — glaires vertes sanguinolentes sur le sol suintant des cachots. Avec leurs ongles, ils creusent la pierre des murs, gravent des injures, des mots d'amour. *Terre et liberté.* Ils écrivent leur nom. Leur nom, comme un cri dans la pierre, pour la postérité. Le blanc viendra et avalera tout, mots d'amour et crachats, noms des damnés. Les assassins s'embusquent, ils attendent leur proie. Dostoïevski déambulait la nuit dans un paysage identique, il appréhendait la prochaine crise, l'illumination. Et Rimbaud, en transe, écrivait les *Illuminations*. Consciences illuminées. Arthur Rimbaud, Fedor Mikhaïlovitch, je vous salue, crie-t-il. Bon vent. Il peut crier tant qu'il en a envie, il est tout seul dans son auto.

Les images viennent souvent quand il roule sur une route, n'importe laquelle, il aime partir à l'aventure, surtout la nuit. La route importe peu, car les images alors se proposent, s'imposent. Les visions. Blanc, oui, un blanc traversé de lumière, transpercé. Lumière clouée sur l'arrière-plan laiteux, clouée sur la Voie lactée. L'entaille crache ses couleurs, la plaie vomit. Lumière crucifiée. Une avalanche de formes tronquées, mutilées, zèbres, éléphants, chevaux ailés, fleurs carnivores, visages hâves et tourmentés, arbres exhibant d'obscènes racines, tout cela jaillit en gerbes de couleurs, des gerbes qui à leur tour s'incarnent et dansent leur ballet dans l'air encombré de neige. Le mouvement n'arrête jamais. Lui, Stéphane Gélinas, veut peindre le mouvement — les électrons gravitant autour de leur noyau, les mannes autour du lampadaire. Pour peindre le mouvement, il faut l'arrêter, le fixer. Le crucifier. Brûler ses ailes. Ce défi, il veut, il va le relever.

Des phares allumés devant lui, yeux rougeoyants de la bête. L'artiste est un visionnaire, heureusement. L'artiste n'a jamais la société qu'il mérite. Il pense à Gauguin l'hiver où il avait rejoint à Copenhague sa femme Mette et leurs enfants. Il a loué le film sur sa vie il n'y a pas si longtemps — comme d'habitude, Julie s'était endormie. Représentant en toile de bâche, quel destin, quel destin, quel affreux destin pour un peintre de cette envergure. Le géant est assis sur une chaise droite inconfortable dans un bureau, des Danois guindés le toisent avec condescendance. D'autres bourgeois semblables avaient semblablement toisé sa grand-mère, Flora Tristan, quand elle tentait de leur vendre son projet de réforme, l'égalité entre les classes, l'égalité entre les hommes et les femmes, la société juste. Regardez-la qui tend son opuscule, *L'Union ouvrière*, regardez-le qui montre des échantillons de toile, qui vante sans conviction leurs qualités. C'est l'albatros de Baudelaire, encore lui, le pathétique oiseau que les profanes harcèlent. *Prince des nuées, exilé sur le sol au milieu des huées.* À quoi ils t'avaient réduit, rugit Stéphane. À quoi on me réduit? Quelque chose était pourri dans le royaume du Danemark. À Elseneur, ton spectre n'a pas fini de s'époumoner, Hamlet. Dans tous les royaumes, quelque chose se putréfie toujours. Il voit Gauguin dans la mansarde où Mette, qui avait honte de lui, l'avait confiné. L'horizon bloqué. Comment peut-on créer dans un réduit pareil, on étouffe, on a besoin d'espace, l'espace ouvert sur l'infini. Mauvais mari, maugréait Mette, père irresponsable, incapable de subvenir aux besoins de sa famille, préférant barbouiller des toiles plutôt que d'en vendre. Dire qu'à Paris, tout lui réussissait dans son métier — courtier en Bourse.

Mette, esprit borné. Elle aurait voulu qu'après avoir passé la semaine à la Bourse, il se contente de peindre des aquarelles le dimanche. Toutes pareilles. Sans envergure, sans vision. La bouche pleine de reproches, le corps obstinément fermé. « Tu ne comprends rien », répond Gauguin à Mette quand elle recommence à persifler.

Julie, elle, ne persifle jamais. Julie est la gentillesse incarnée : nue comme un ver, elle danse sous le nom de Jenny dans des clubs mal famés et, sous le nom de Julie Masson, elle signe les chèques du loyer, elle paie le vin — c'est-à-dire la piquette, mais ici, même la piquette, ce n'est pas donné —, elle paie les paquets de tabac et le papier à cigarette, les boîtes de tomates, les sacs de pommes de terre et de nouilles, le fromage cheddar doux, le pain tranché et le beurre d'arachide, les tubes d'acrylique et les pinceaux. Herbe et poudre, pas trop souvent, mais bon, il faut bien parfois s'éclater, que la chair exulte. Sinon, la vie serait trop lente. Les films au club vidéo, *Casablanca* avec l'incomparable, *F for Fake*, génial, celui-là, *Broken Wings* avec l'autre incomparable — ces actrices fatales des années cinquante, leur bouche évoque une blessure noire, leurs yeux sont des abîmes. Julie paie tout sans jamais rechigner. Ils se contentent de l'essentiel, vivent frugalement, c'est vrai. Un trois et demi à Pointe-Saint-Charles, cuisine exiguë, salle de bains vétuste, une pièce double qu'un store de bambou sépare, d'un côté la chambre, de l'autre, ce qui serait le salon s'il n'en avait pas fait son atelier. Julie ne se plaint pas, lui non plus, pour l'instant. Elle rentre au milieu de la nuit, son maquillage fatigué, ses cheveux qui sentent la fumée. Un taxi la ramène, c'est cher, mais il faut ce qu'il faut, elle ne va quand même pas attendre l'autobus du matin en grelottant sous un abri. Le reste de l'argent, c'est pour cette maison où il aura un jour son atelier, un vrai atelier, avec une

fenêtre immense donnant sur la rivière et par laquelle, en
flots généreux, coulera la lumière. En fin de compte,
l'argent sale sera blanchi. Dans le blanc véhément de la
toile, l'argent englouti. Ainsi, depuis la nuit des temps, les
collectionneurs blanchissent-ils leur sale argent en achetant
les œuvres de maîtres qui ont passé leur vie dans l'indi-
gence. Sauf Picasso, évidemment, plus malin qu'eux. Mais
tous ces autres, Gauguin, Modigliani, Van Gogh. La roue
tourne sans que rien jamais ne change. Rien ne change. Il
faut pourtant changer la vie. Rimbaud l'a écrit, et d'autres
l'ont crié dans leur désert, Jim Morrison, Nietzsche, Franz
Kafka, Flora Tristan. Avec leur voix, avec leur sang, avant
de mourir. La mort les a fait taire, mais pas leur cri. Non,
leur cri ne s'est pas tu.

Et puis, voici qu'une date surgit, une autre Julie
déboule sans crier gare dans sa tête. La femme de Pissarro.
Il a lu une centaine de biographies depuis un an. Parfois,
noms et événements s'emmêlent. Pas ce soir. La femme de
Pissarro s'appelait Julie, il en est sûr, mais elle était une
Julie revêche. L'argent, l'argent, toujours l'argent. Pour
nourrir les enfants. Toutes pareilles. Non, pas toutes,
heureusement. Il suffit de regarder Flora la courageuse.
Mais cette Julie, quelle chipie. Sans cesse en train de
houspiller son homme de génie. Les enfants geignent, la
morve au nez. En 1877, dans la banlieue parisienne, les
impressionnistes ne valent pas très cher. En 2006, à
Montréal, les peintres comme lui, ceux qui contre vents et
marées cherchent et contre qui vents et marées s'acharnent,
ne valent pas grand-chose non plus. Monétairement.
Comme d'habitude, Pissarro est à court d'argent.
Comme d'habitude, sa femme Julie le houspille. Pain,
charbon, lait, pommes de terre, vin. L'immédiat. Incurable
myope, tu ne vois rien ? Tu ne vois pas l'œuvre de ton

homme ? Elle répond qu'il faut boire et manger, elle répond qu'il faut chauffer la maison. On organise une loterie dont le grand prix sera l'une de ses toiles. Seuls quelques voisins compatissants achètent des billets. Une petite fille gagne le gros lot. Mais voilà, devant le tableau, elle fait la moue. Elle préférerait un gâteau. On le lui donne. Je te salue, Pissarro. Tu dois te bidonner aujourd'hui dans ton tombeau. Ton squelette a mal aux côtes tellement il rit. Il est bien temps. Je te salue. Bon vent.

Boulevard Taschereau, la masse d'un centre commercial s'étale à gauche, ses lumières percent par intermittences le brouillard blanc. Pharmacies géantes, entrepôts de matériaux de rénovation, fast-foods blafards, stations-service. L'espace d'un instant, Stéphane est tenté de s'arrêter pour un café. Mais il poursuit sa route. Il voit des manguiers border le boulevard, des arbres au bois tendre appelés balsas, avec lesquels les Tahitiens fabriquent leurs pirogues et que Gauguin était allé chercher dans la montagne avec le bûcheron Jotépha. Gauguin raconte l'événement dans *Noa Noa* — Stéphane a lu ce passage ce soir, juste avant de partir.

1883. Gauguin abandonne femme et enfants à Copenhague, Nietzsche commence *Ainsi parlait Zarathoustra*. Stéphane parle avec Gauguin. Il parle toujours avec Gauguin, Gauguin l'accompagne, Gauguin, depuis l'enfer, lui sert d'ange gardien. La neige, ça ne te ressemblait pas, dit-il. Tu aimais la lumière, toi, les couleurs crues et vibrantes. La lumière du soleil. Pas la lumière chiche, la lumière grise de Copenhague. La famille non plus, ça ne te ressemblait pas. Les liens, les ponts, les cordons, il fallait que tu les tranches. Julie dit qu'elle veut des enfants. Je la laisse parler. Je n'en aurai pas. Mes tableaux seront mes enfants. Il aime appeler Gauguin Koké, comme les Tahitiens l'avaient surnommé. La première qui lui avait donné ce nom, c'était Teha'amana, sa petite concubine, sa vahiné, treize ans. Et lui, les Tahitiens l'appelleraient Tépha — c'est son ami François qui a trouvé ça. Il aime bien, ça ressemble à Jotépha, l'ami tahitien du peintre.

Elle avait sept orteils au pied gauche, Teha'amana, elle en était mortifiée. Allongée sur le ventre, elle avait été son modèle pour le tableau *L'esprit des morts veille* — *Manao Tupapau* en langue maorie. De nos jours, on te traiterait de pédophile, hein, Koké ? En prison, prédateur sexuel, vieux pervers ! Mais la morale, tu t'en contrefichais. Elle avait eu si peur cette nuit-là, quand tu l'avais laissée sans lumière et que l'esprit s'était faufilé dans la hutte. L'esprit des morts qui surgit, toujours la nuit, on ne sait d'où, et qui nous attrapera par la cheville, par les cheveux, qui nous en-traînera avec lui dans son repaire, au fond de la terre, au fond de l'eau. Un jour, Koké, je marcherai dans tes traces, à Tahiti. Je peindrai des manguiers couverts de neige, des bébés phoques barbotant dans la lagune entourés de poissons-chats. J'opérerai la synthèse entre nos univers. Nous nous rejoindrons dans la bulle. Le temps et la mort seront abolis.

Le premier choc, il pense qu'il l'a eu vers douze ou treize ans devant la reproduction de ce tableau de Gauguin, *L'esprit des morts veille*. Devant cette repro-duction, la jeune fille allongée, nue, la terreur ou le vide au fond de ses prunelles, le démon qui, tranquille, attendait son heure, il a su, d'un seul coup, qui il était. Il faut bien qu'il y ait un premier choc. Les choses ne tombent pas du ciel, il le sait. Seule la neige tombe du ciel. Ce soir, elle tombe depuis des heures. Elle ne tombe pas, elle reste en suspension dans l'air, elle tourbillonne, elle virevolte, la neige danse. Il roule lentement.

Gauguin, ce soir il y pense sans arrêt. Gauguin a fait le choix difficile. Mette ne l'a pas approuvé, ne l'a pas appuyé. Mais lui, il a Julie qui appuie et approuve. Est-ce que ça suffit ? Ou devra-t-il partir, lui aussi, tout quitter ? Faudra-t-il qu'il renonce à l'atelier au bord de la rivière, qu'il piétine leur rêve ? Et Julie qui danse, pourquoi danse-t-elle alors ? Il se sent déchiré tout à coup. Koké a un jour quitté Mette, puis il a quitté Teha'amana, sa vahiné, la mort dans l'âme, peut-être, mais il les a tout de même quittées toutes les deux, la Viking et la vahiné. Il étouffait. Moi aussi, j'étouffe, Julie. Il pense à son ami François qui se balade en Europe — il a reçu une bourse, lui, pour écrire un recueil de poèmes.

Stéphane se sent déchiré. Quitter Julie pour se trouver, il faudra bien qu'il le fasse, qu'en le faisant il fasse souffrir Julie, qu'il mutile leur beau rêve. Julie aura dansé pour rien. Quelque chose l'appelle, il le sent. C'est loin. Le bout du monde. L'espace ouvert sur l'infini, la liberté, la lumière. Mais pas tout de suite. Pour l'instant, il doit encore lire et penser. Le travail de gestation n'est pas achevé.

Pour commencer, le conducteur de la Chevrolet bleue a perdu le contrôle. La voiture a dérapé hors de sa voie. Stéphane, la tête entre pôle Nord et îles tropicales, n'a pas le temps de réagir. La bête aux yeux de feu fonce sur lui. Une autre l'attaque par-derrière. Puis, de côté, une autre encore, ses dents pointues lui broient les côtes. Un démon était tapi derrière le siège, le voilà qui s'élance, il attrape Stéphane par la cheville, quelle douleur, un autre se rue sur son genou, il est comme un ciel que des éclairs soudain déchirent. Toutes ces couleurs, toutes ces couleurs dans la neige. Oranges de Crimée, moignons sanglants, glaires verdâtres, plumes d'aras. Une explosion. Cette blancheur éclaboussée. Le tableau apparaît, émerge dans la neige, il occupe toute la place, l'œuvre qu'il voulait réaliser. Elle est là, elle existe. Une envie de pleurer le submerge, toutes les larmes versées depuis le jour de sa naissance, elles sont là comme une immense vague, et toutes les autres aussi, jamais versées.

La dernière image, étrangement, pour lui qui n'a jamais traversé la frontière, c'est celle d'une vahiné chargée de fleurs, sur fond de mer et de palmiers, pendant que tourbillonnent les flocons de neige. «Je t'attendais, Tépha», chantonne-t-elle. Ou bien c'est lui qui chante.

4

Saint Petersburg, Floride, en fin d'après-midi

On entend des enfants se chamailler…
… c'est au solstice d'été que, à Saint-
Pétersbourg, la nuit est blanche…

À Saint Petersburg, dans la baie de Tampa, le condo — deux chambres fermées, séjour, cuisinette équipée, terrasse donnant sur la piscine — appartient aux parents de Florence, psychologue à la prison des femmes, mère de trois enfants d'âge scolaire, une fille et deux garçons. Robert, son mari, cadre au ministère de la Santé, s'adonne au golf, mal, sans doute, mais passionnément. Cette année, toute la famille a fui l'hiver pour les vacances des fêtes. Adieu, tempêtes de neige! Robert va s'entraîner sur le green, les enfants vont nager, Florence a apporté une tonne de livres — à Montréal, toujours entre travail et maison, elle a si peu de temps à consacrer à sa passion, elle veut reprendre le temps perdu. Les parents de Florence, eux, voyagent avec leur groupe de retraités en Tunisie. Ils ont quand même pensé à tout : un sapin artificiel trône dans le salon, orné de boules, couronné d'un ange en papier doré, entouré d'une dizaine de cadeaux enrubannés. Florence se demande ce que ses parents ont bien pu leur acheter cette année. Ils ont parfois l'air d'oublier que le temps passe, que leurs petits-enfants ne sont plus des bébés. L'an dernier, Fanny avait eu du mal à cacher sa déception devant le DVD de Cendrillon. Et le sourire contraint de Robert quand il avait sorti de la boîte la cravate au motif hawaïen. Une blague? Franchement, l'humour de ses parents dépasse les bornes parfois. Elle-même avait jeté à la poubelle l'assortiment de produits pour le bain. Noix de coco et papaye, indéniablement une idée de sa mère, mais quelle idée! Bien trop sucré. On a l'impression de tremper dans un bol géant de crème glacée. Quant aux jouets en bois, œuvre d'un artisan québécois, qu'ils avaient offerts aux garçons... Charmant, bien sûr, mais pour le moins anachronique: de nos jours, les enfants ne jurent que par les jeux d'ordinateur, *game boys*, et cetera, tout le monde sait ça — sauf ses parents, on dirait. Heureusement, cette année, on n'aura pas à faire semblant d'être content. Trop souvent, ses parents la désespèrent. Comme elle et Robert doivent désespérer leurs enfants, se dit-elle après un instant. C'est comme ça, la roue qui tourne. Et de la voir tourner n'a rien de réconfortant.

Pour l'instant, les trois enfants s'amusent autour de la piscine. C'est-à-dire que Jonathan et Balthazar, sept et six ans, s'amusent. Ils avaient tellement hâte d'arriver. Ils nagent comme des poissons, mais Florence exige qu'ils portent des flotteurs autour des bras quand elle ou leur père ne sont pas à proximité. Ils ont beau protester — «C'est trop humiliant, maman», a dit Jonathan, et Balthazar a renchéri: «Ils vont nous prendre pour des bébés lalas» —, Florence est inflexible. On n'est jamais trop prudent, leur a-t-elle expliqué. Pas de flotteurs, pas de baignade, un point, c'est tout. On n'en discute plus. L'an prochain, eh bien, vous aurez un an de plus, nous réévaluerons la situation. Fanny, douze ans et demi, ne se mêle pas aux jeux de ses frères. Elle a ses règles depuis le mois dernier, ce qui aggrave encore sa morosité. Dans l'avion, ce matin — on lui avait pourtant laissé le hublot —, elle avait l'air de bouder. En vérité, Florence savait bien qu'elle n'en avait pas que l'air, qu'elle boudait réellement, le visage fermé, qu'elle ruminait sa déception. Elle n'a pas touché au plateau-repas, a refusé les barres tendres que Florence avait apportées, même celles qui sont enrobées de chocolat. Du coup, Jonathan en a mangé trois. Il y a sans doute une peine d'amour enfantine là-dessous, pense Florence. Ces douze jours de vacances vont la remettre d'aplomb. À condition qu'elle ne les passe pas à bouder. À présent, allongée sur le ventre à l'écart des garçons, elle se fait bronzer, les écouteurs de son discman sur les oreilles. Il y a un livre ouvert devant elle sur la serviette, elle a l'air bien absorbée. Elle a toujours aimé lire, se dit Florence, soudain attendrie, presque rassurée, elle me ressemble. Le mois dernier, elle a dévoré en deux jours *Les Hauts de Hurlevent*. J'ai bien vu que cette lecture l'avait bouleversée. J'étais pareille à son âge. J'ai été longtemps amoureuse du mouton noir, Heathcliff, un vrai fantasme, je l'imaginais en train de galoper dans la lande, cape au vent, et moi, en croupe, ma joue contre son dos, mes bras autour de sa taille. Fanny a imaginé la même chose, sûrement. Je me demande ce qu'elle lit en ce moment… Oui, elle est comme moi, se dit-elle, toujours attendrie, et peut-être même nostalgique. Mais de quoi ? Elle n'a pas eu une enfance si brillante que ça. Nostalgique de ce qui aurait pu être et qui n'a pas été. Les jeunes années se sont envolées. Que reste-t-il de… Bon, nostalgie, fous le camp, tu me fais perdre mon temps.

  Elle-même a publié l'an dernier aux presses de l'université un essai sur ce qu'on qualifie d'instinct de missionnaire, un atavisme qui, de façon contradictoire, conduit certaines femmes à la criminalité. Leur volonté de sauver l'autre les perd, Florence l'a souvent remarqué. Le sentiment qu'elles prennent pour l'amour de l'autre sape chez elles l'amour de soi. Un travail de titan pour reconstruire l'ego démantibulé. Un fragment, un tesson à la fois, on s'entaille les mains, on saigne, on pleure, mais l'image finit par se reformer dans le miroir craquelé. Florence est contente : grâce à ce livre, elle a connu un beau succès d'estime dans la communauté des psychologues, elle a reçu une cinquantaine de courriels louangeurs, en plus de cette recension plus que favorable dans une revue savante. Une entrevue à la radio communautaire, une autre à l'émission matinale de la radio d'État. En octobre, elle doit prononcer une conférence sur le sujet, présider une séance à l'occasion d'un colloque à Seattle.

Son regard s'attarde sur Fanny. Fanny aime lire. Elle écrira peut-être un jour — des romans, qui sait ? Et elle sera sauvée...

Descendons un instant, approchons-nous de Fanny qui broie du noir au bord de la piscine. Passer les vacances avec la famille, loin de ses amis, n'était pas son choix, elle avait d'autres projets. Elle va rater le party de fin d'année chez Corinne. Tout le monde y sera, sauf elle. Et Stéphi l'avait invitée à Sainte-Adèle, deux jours de ski. Elle avait tout organisé, le reste du temps, elle pouvait habiter chez Mélissa, ses parents avaient donné leur accord. Les parents de Mélissa, évidemment, pas les siens. Surtout son père. Pour lui, Noël est une journée sacrée, il tient mordicus aux traditions : réveillon avec la dinde, les beignes, les tourtières — cette année, il devra s'en passer, tant pis pour lui —, déballage des cadeaux, sa nichée de poussins rassemblée autour du sapin. Un peu plus et il traînerait tout

son monde à la messe de minuit. Il doit y songer. Ça me
donne envie de hurler, se répète Fanny, envie de dégueuler.
Mais voilà : à douze ans et demi, il faut bien suivre.
Personne ne nous demande notre avis. Et même quand on
nous le demande...

Bruits d'éclaboussures et cris joyeux montent jusqu'à la
terrasse, au deuxième étage, où lit Florence. Robert devrait
rentrer avant le souper. Ils iront au restaurant, un *Poulet du
Colonel*, tout près, une fois n'est pas coutume, les enfants
seront contents — surtout les garçons. Fanny, elle, parle de
devenir végétarienne, prend des airs de mater dolorosa
devant une rondelle de saucisson, une boulette de steak
haché. Ça lui passera. Ou non. Elle dit qu'elle a pitié des
animaux. Florence va acheter un livre de recettes pour
apprêter le tofu. L'adolescence est une période charnière.
Pas question que Fanny, qui est en pleine croissance,
souffre d'une carence alimentaire. Et le spectre de l'ano-
rexie rôde autour des filles trop sensibles.
    Donc, poulet du colonel pour les garçons, Fanny
mangera bien quelques frites, de la salade. Florence leur a
fait boire un grand verre de jus d'orange frais tout à
l'heure, de grosses oranges de Floride — ces fruits américains ont toujours l'air d'avoir été gonflés — qu'elle a elle-
même pressées : ils ne manquent pas de vitamines. Elle
n'oublie jamais les vitamines pour les enfants. Elle ira au
supermarché demain. Il faut qu'elle pense à quelque chose
pour le réveillon. Elle ne va quand même pas faire cuire
une dinde, cette année, ils ne seront que cinq à table. Elle
avait espéré que son frère Jon — il s'appelle Jonathan, mais
elle l'appelle toujours Jon, pour éviter la confusion —
viendrait, il a le tour avec les enfants, surtout avec Fanny,
sa présence l'aurait peut-être déridée. Il aurait dormi dans
le salon. Et puis, il adore cuisiner, elle n'aurait pas été seule

pour tout préparer. Mais voilà, il avait une traduction à finir, et la question avait été réglée.

Le réveillon, donc. Un canard peut-être, si elle en trouve, ou un chapon. Elle laisse voguer son imagination, visualise la table dressée sur la terrasse, les bougies allumées, elle dans sa nouvelle robe bleu marine semée de marguerites, le clair de lune illuminant la mer qui chante, en bas. Puis, elle secoue la tête : la terrasse donne sur la piscine. Tant pis. Ce sera le clair de lune sur la piscine et on devra s'en contenter. Avec un peu de chance, les voisins — ils sont tous un peu sourds, on dirait — ne feront pas jouer leur télévision à plein volume, on entendra le bruit des vagues. Chapon rôti, petits pois mijotés à la française, gratin de pommes de terre — on peut en acheter de toutes prêtes, en sachet, avec leur sauce, qu'il suffit de réhydra-ter —, salade de fruits — mangues et agrumes —, glace au café, récite-t-elle dans sa tête. Elle trouvera bien une tour-tière surgelée pour Robert, un bocal de ketchup maison dans la section gourmet du supermarché. Pour arroser le tout, une bonne bouteille de chablis de Californie. Ou de mousseux ? Avec le temps, les Américains — les États-Uniens, se reprend-elle, il faut qu'elle s'habitue à dire le mot, après tout, l'Amérique n'est pas leur chasse gardée même s'ils font tout pour en donner l'impression —, les États-Uniens, donc, ont appris et leurs vins n'ont désor-mais plus rien à envier aux français. Et leur prix est, somme toute, abordable. Elle s'en occupera demain.

Des cris d'un autre genre fusent soudain : « Tu m'as poussé ! » « J'ai rien fait ! C'est toi qui es dans les jambes. » « Menteur ! » « Arrête, espèce de malade ! » « Tu m'énerves, maudit niaiseux ! » Florence pose son livre à l'envers sur la table en résine de synthèse, se penche vers la piscine. « Les enfants ! » crie-t-elle. Ils n'ont pas entendu. Elle crie plus fort : « Balthazar ! Jonathan ! Cessez de vous chamailler, sinon vous montez faire la sieste. Si j'entends encore des mots pareils, pas de restaurant ce soir.

— C'est lui qui..., commence Balthazar en geignant.

— J'ai dit : c'est assez », interrompt Florence d'un ton catégorique. Elle reprend son livre.

❏

Fin d'après-midi, la lumière, imperceptiblement, a changé, elle est plus dense, presque palpable. Dans les branches des citronniers, d'invisibles oiseaux entonnent leur concert. Des parfums mêlés, fleurs, sel iodé, ambre solaire, stagnent dans l'air très doux. Une querelle d'enfants éclate en anglais : *Don't push ! I didn't push ! Get out of the place ! Stop it ! Ass hole ! You bastard !* Un mot résonne en espagnol : ¡ *Coño* ! Et d'autres : ¡ *Hijo de la chingada* ! Maintenant, ce sont de petits Latinos qui se lancent des injures d'adultes. Florence jette un coup d'œil : ses fils sont tranquilles, assis dans l'herbe, ils jouent aux cartes. Toujours couchée sur le ventre, Fanny semble s'être endormie. Elle n'a rien sur la tête et Florence sent comme une épine d'inquiétude la fouiller dans la région du cœur. S'il fallait qu'elle attrape une insolation. Mais elle décide de ne pas intervenir. Depuis quelques mois, depuis qu'elle a commencé le secondaire, en fait, Fanny se cabre chaque fois qu'on lui fait une remarque. Mettre un chapeau sera bien sûr hors de question. Le soleil est moins haut, se dit Florence pour se rassurer. On va souper dans à peu près une heure et demie. Demain, je l'emmènerai au magasin, on essaiera de trouver quelque chose de joli pour elle, un bandana, une casquette. Et puis, ce soir, si elle n'a pas envie de nous suivre, on pourrait la laisser à la maison, on ne sera pas partis longtemps, elle écouterait des vidéos. Je lui préparerai des sandwiches au fromage, des crudités, on lui rapportera un dessert. Elle est tellement déçue de rater la fête chez son amie Corinne, le 31, elle a pleuré et supplié pendant des jours. Au fond, moi, je l'aurais bien laissée, mais Robert ne voulait pas en entendre parler. Florence hausse mentalement les épaules. L'adolescence est toujours une période difficile. Je n'ai qu'à me rappeler la mienne. Des souvenirs affluent — les empoignades avec sa mère, et ce jour où son père l'avait giflée parce qu'elle avait volé — ce fut la seule fois — un tee-shirt dans une boutique de la rue Sainte-Catherine et qu'elle s'était fait prendre. La tentative de suicide de Jon. Il avait dix-sept ans. Dans son lit, les yeux fermés, veines ouvertes. Elle secoue la tête. L'eau a coulé sous le pont. Inutile de repenser à tout ça. On n'en est pas là.

Robert vient de rentrer. « Une moyenne de trois, annonce-t-il, mi-figue, mi-raisin. C'est loin d'être ma meilleure performance. Mais je n'avais pas joué depuis l'été. Je suis rouillé. » Florence sourit : il a toujours de bonnes excuses. « J'ai l'intention de réussir un birdie avant la fin du séjour, ajoute-t-il. C'est plus qu'une intention, en fait. Je suis déterminé. » Il a chaud, il a envie d'un apéro, après, il va aller nager quelques longueurs pour se rafraîchir. « Ça fait du bien d'être ici. Surtout sans tes parents, si tu me permets de dire ça… » Elle ne réagit pas. « J'ai rencontré deux Québécois sur le terrain, continue-t-il. Ils venaient d'atterrir. Ils étaient sur le vol de midi et demi. À Montréal, en ce moment, c'est la tempête, on annonce trente centimètres avec des rafales de je ne sais plus combien à l'heure. Ils ont failli ne pas décoller. On a bien fait de prendre l'avion du matin. » Elle approuve d'un signe de la tête. Il jette un coup d'œil à la pile de livres sur la table. « Qu'est-ce que tu lis ? demande-t-il.

— La petite histoire de la Russie tsariste.

— C'est le nom de Saint Petersburg qui t'inspire?»

Elle répond que c'est instructif, la petite histoire. Par exemple, elle avait toujours cru que les nuits blanches de Saint-Pétersbourg, c'était en hiver, à cause du reflet des lumières sur la neige, comme à Montréal. Eh bien, non, c'est en été. Au solstice d'été, le 21 juin, à l'époque de la floraison, le soleil de minuit n'est qu'à six degrés sous l'horizon et l'atmosphère terrestre continue de diffuser sa lumière. La nuit dure cinq heures. «Bon, alors, on va se coucher moins ignorants, ce soir», dit Robert.

Saint-Pétersbourg, depuis toujours ce nom fait rêver Florence. «Écoute», dit-elle. Elle ferme les yeux, prend un air inspiré. «*La cité dort entourée de brume, les fanaux brillent à peine... La lune rousse dans la nuit blanche navigue dans l'azur. Son ombre erre tel un fantôme et se reflète dans la Neva.* Évocateur, non?» Il sourit sans répondre. «C'est d'un poète symboliste, Alexandre Blok.

— Comme toujours, tu m'éblouis.»

L'été prochain, reprend-elle, ils pourraient envoyer les enfants dans un camp de vacances et se payer quelques nuits blanches là-bas. Vodka glacée, caviar, musique tzigane. L'après-midi, ils visiteraient le musée de l'Hermitage, flâneraient sur les quais, se mêleraient aux passants dans la perspective Nevski, feraient une croisière au crépuscule sur la Neva. Qu'est-ce qu'il en pense? Il fait une moue dubitative. Il n'aime pas l'idée de laisser les enfants dans un camp. «Imagine qu'il leur arrive quelque chose, et nous, à l'autre bout du monde.» Le problème, c'est qu'il imagine toujours le pire, dit-elle. Il a tort de voir la vie comme une suite de catastrophes potentielles. «Pour ce projet de deuxième lune de miel, répond-il après un instant, je ne dis pas non... C'est bien ça que tu projettes, une deuxième lune de miel?

— Si tu veux, dit-elle.

— Je ne dis pas non. Mais à une condition : il faudrait que tes parents prennent les enfants avec eux. Je me sentirais plus tranquille. Moi, tu sais que je ne peux pas demander à maman. Avec ses problèmes de santé, une ado en phase rebelle et deux garçons turbulents, c'est un peu trop risqué, pour elle comme pour eux. Sans parler de sa mémoire qui flanche...

— Qui chantait ça, déjà ? Gréco ? »

Il ne se souvient pas, sa mémoire flanche aussi, parfois. « Daphné pourrait garder peut-être ? » suggère Florence. Nouvelle moue. « Je n'aurais pas vraiment confiance. D'ailleurs, elle est occupée. Elle a commencé à danser avec je ne sais plus quelle troupe de ballet. Je ne te l'avais pas dit ? Cette année, elle figure ou va figurer dans *Le lac des cygnes*, ou bien est-ce dans *Casse-Noisette* ? Enfin, un classique. Je suis content qu'elle se passionne pour quelque chose. Non pas que je m'attende à la voir devenir une étoile, comme Nijinski ou d'autres, mais quand même, laissons-lui sa chance, la pauvre petite. » Florence hoche la tête. « C'est exigeant, le ballet, poursuit Robert, elle doit sans doute répéter de longues heures tous les jours. C'est une fille très déterminée... Et puis, elle n'a jamais été très proche des enfants.

— Un peu de jalousie peut-être, dit Florence. Sa vie n'a pas été facile. Deux abandons coup sur coup. Après ça, ce qui reste de l'ego est à ramasser à la petite cuiller. J'aurais aimé l'aider, mais je n'étais certainement pas la mieux placée.

— Qu'est-ce que tu entends par coup sur coup ? Je suis quand même resté huit ans avec elle et sa mère. Ginette, je veux dire.

— Oui, mais Daphné a dû vivre ça comme deux abandons. D'abord sa famille biologique, en Chine, puis toi quelques années plus tard. Comment veux-tu qu'elle se sente ? »

Robert hausse les épaules. « Je sais bien, dit-il. Mais que veux-tu ? Je n'ai pas pu te résister. Je t'ai aimée en te voyant. » Elle sourit. « Et maintenant ? » Il sourit à son tour. « Laisse-moi y penser.

— Penser à quoi ?

— À cette nuit. J'ai toutes sortes d'idées. »

Pour en revenir à la petite histoire, elle présente des personnages incroyables, reprend Florence. « Tu savais qu'un grand-duc, Nicolas Constantinovitch, était kleptomane ? Il a volé les pierres précieuses qui décoraient l'icône de mariage de sa mère. Devine pourquoi. Pour financer les révolutionnaires qui ont assassiné son oncle, le tsar Alexandre.

— Les diamants de sa mère ! C'est ce que tu appelles kleptomanie ?

— On le dit comme ça dans le livre, répond Florence. Une jeune femme, Sofia Lvovna Perovskaïa, avait participé au complot terroriste. La propre fille du gouverneur de Saint-Pétersbourg. Tiens, regarde, il y a son portrait ici. »

Il se penche par-dessus son épaule. « Plutôt pathétique. On dirait une des deux orphelines.

— Une pure et dure. Elle portait toujours une robe brune en laine, de grosses bottes, un fichu de coton sur la tête. On l'a pendue. »

Robert hausse les épaules. « En tout cas, si tu veux mon avis, tous ces nobles étaient plutôt tarés. La consanguinité a fait bien des ravages dans les rangs de la royauté. Sans parler de la syphilis. Ça ne m'a jamais paru très sain d'avoir du sang bleu dans les veines. Bleu, comme le fromage bleu. Pourri, quoi !

— Ça ne t'empêche pas de te régaler. Tu ne donnes pas ta place quand il y a du roquefort sur la table. »

Il sourit. « Je t'accorde que je ferais des bassesses pour un morceau de vieux stilton avec un verre de porto vintage.

Je volerais peut-être même tes bijoux. Le collier de fausses perles que t'a mère t'a donné pour ton anniversaire il y a deux ans, par exemple. Reste à voir à qui je pourrais bien le vendre...

— Quant à leur sang, il n'était peut-être pas si bleu que ça, dit Florence. La Grande Catherine a avoué dans ses mémoires que son fils était un enfant de l'amour. Le père aurait été un soldat de la garde. Et, selon la rumeur, l'impératrice Maria Alexandrovna, la femme du tsar assassiné, n'était pas la fille de son père non plus, mais celle du maître d'écurie, un Français.

— Arrête. En plus de m'éblouir, tu m'étourdis!... Mais avoue que la démocratie a quand même ses bons côtés.

— On l'a fait passer pour fou, dit Florence. Je parle du grand-duc kleptomane. Il était amoureux d'une courtisane, une Américaine, je veux dire une États-Unienne, Hattie Blackford, qui se faisait appeler Fanny Lear. Fille de pasteur, tu imagines?

— On les fait toujours passer pour des déséquilibrés. Psychologues et psychiatres ont une explication pour tout. Je parie que ton grand-duc machinchouette avait été maltraité par ses parents dans son enfance.

— Son précepteur, corrige-t-elle. Et ne te moque pas des psychologues.»

Il se penche, l'embrasse sur le haut de l'oreille, à travers ses cheveux. «Je me moque de qui je veux.» Elle lui pince le bras — un léger pincement.

«Tu veux boire quelque chose? demande Robert.

— Non, merci. Ou plutôt oui. Il doit y avoir du coke diète dans le frigo. Maman ne boit que ça... Ah! et puis, oui, à propos. Tu avais oublié ton portefeuille dans la chambre, sur la commode.

— Je ne l'avais pas oublié, répond-il de la cuisine. Je ne voulais pas m'encombrer. J'ai pris l'argent qu'il me fallait. Tu ne veux pas une goutte de rhum pour consoler ton coke ? Un *Cuba libre*, ça irait bien avec tes lectures révolutionnaires. »

Elle dit que non, elle n'en veut pas. Elle est un peu fatiguée, alors le rhum risque de lui monter à la tête. « Et alors ? Moi, j'aime bien quand tu as un petit coup dans l'aile. Tu offres moins de résistance à mes lubriques entreprises. » Il revient avec un whisky pour lui, une cannette de coke pour elle. « Mais c'est écrit dans un style passablement pompier, poursuit Florence. Écoute ça, par exemple, à propos d'un dénommé Savine, le mauvais ange de l'aristo kleptomane : "Le personnage se résumait en trois mots : le jeu, les dettes, les femmes…" Tu parles d'un résumé ! Et puis : "Il avait acquis un don incomparable et atteignait dans la débauche comme dans l'escroquerie des sommets qui le rendaient peu banal." » Elle rit. « Des sommets ! Un cas intéressant, non ? J'aurais bien aimé l'entendre en thérapie… Ce qui me ravit, c'est que tous ces soi-disant historiens se contredisent à qui mieux mieux. Dans les autres livres que j'ai lus, on dit que c'est pour Fanny Lear que le grand-duc avait volé les diamants. Pas pour financer la révolution. Pas moyen de savoir la vérité. Avec la petite histoire, chacun écrit son propre roman.

— Il y a quelque chose à grignoter ? » demande Robert.

Elle répond qu'elle n'a pas encore fait le marché, elle n'a acheté que des oranges, du pain et du Nutella pour les enfants. Elle va aller voir : telle qu'elle connaît sa mère, elle a sûrement laissé des trucs dans le placard. Il lui tend son verre. « Ajoute-moi un glaçon pendant que tu y es, dit-il. S'il te plaît. Et une larme de whisky pour le réchauffer. »

« Leurs groupes révolutionnaires s'appelaient Terre et liberté, Volonté du peuple », dit-elle en posant un bol de noix salées sur la table. Il répond qu'il lui semble avoir entendu ce genre de nom il n'y a pas si longtemps. Aux actualités télévisées. « L'humanité tourne en rond, on dirait », conclut-il. Un ange passe. Il prend un des livres, le feuillette. « Intéressant, dit-il. Un dénommé Panine prétend que les femmes méritent le knout quand elles refusent d'accomplir leur devoir conjugal. Tu sais ce qui t'attend si tu me résistes. Je peux certainement me procurer l'accessoire au sex-shop du coin. Sinon chez le marchand d'armes.

— Me voilà prévenue. »

Robert jette un coup d'œil sur la piscine. « À propos de Fanny, je ne vois pas la nôtre, dit-il.

— Elle était là il y a cinq minutes, dit Florence. Elle ne doit pas être allée loin. Aux toilettes, peut-être. Sinon, elle est dans l'ascenseur, elle va rentrer d'un moment à l'autre. »

Robert fait tinter les glaçons dans son verre. « Je la trouve renfermée depuis quelque temps. Tu as une idée de ce qu'elle a ? Elle couve quelque chose ?

— Transformation hormonale, explique Florence.

— Ah ! C'est donc ça ? Tu ne me l'avais pas dit.

— Maintenant, je te le dis. Mais fais semblant de rien surtout. C'est un sujet trop intime. Elle se sentirait trahie et ne me le pardonnerait pas.

— J'ai compris. La sacro-sainte solidarité féminine. Je ne m'en mêle pas. »

Il finit son whisky. « J'enfile mon maillot et j'y vais, dit-il. Une douzaine de longueurs. Je reviens avec les enfants dans une petite demi-heure. »

Dix minutes ne se sont pas écoulées qu'il entre en trombe, les garçons dans son sillage. « Elle n'est pas là,

crie-t-il. Fanny n'est nulle part. Elle a laissé sa serviette et
son livre dans l'herbe. Fanny a disparu.» Florence refuse
de s'énerver. « Tout de suite les grands mots, dit-elle d'un
ton apaisant. Calme-toi, je t'en prie, ajoute-t-elle en jetant
un regard éloquent aux deux autres enfants. Tu vas les
affoler. Fanny va revenir, tu le sais bien. Où veux-tu qu'elle
aille? Elle est en maillot de bain. Et elle n'a pas un sou
vaillant.» Il lance le livre sur la table. Les fleurs artificielles
dans leur vase frémissent. « Elle lisait *Lolita*, tu te rends
compte? À douze ans, *Lolita*! C'est toi qui as apporté ça?»
Florence secoue la tête. « Nous avons une bibliothèque à la
maison, si tu l'as remarqué. Entre une partie de base-ball et
un match de hockey.» Il rugit: « Pourquoi pas le marquis
de Sade, tant qu'à y être? Tu n'es pas capable de surveiller
ses lectures, madame la distinguée psychologue? Tu ne
vois pas assez de putes, de criminelles, de droguées dans ta
prison? C'est là que tu veux que Fanny aboutisse?» Elle ne
va pas se laisser entraîner sur cette pente. « C'est en lisant
de la bonne littérature qu'on apprend à aimer la littérature.
Je n'en démordrai pas, répond-elle. Nabokov est un des
meilleurs écrivains contemporains. Et vous deux, ajoute-
t-elle en se tournant vers les garçons figés, allez vous
habiller dans votre chambre.» Robert se ressert un whisky.
« C'est ça, fais comme d'habitude, n'en démords pas, reste
sur tes positions.

— Surtout, ne te mets pas à l'engueuler quand elle va
rentrer », dit-elle.

Elle pressent déjà les ripostes insolentes de Fanny, ou
son mutisme — plus insolent encore —, les éclats au souper, leurs vacances gâchées.

Deux heures ont passé. Ils ont interrogé les garçons,
mais les garçons jouaient aux cartes, ils n'ont rien vu. « Elle
a dit de ne pas la déranger », se justifient-ils. Fanny a-t-elle

parlé avec quelqu'un, a-t-elle eu l'air de se faire des amis ?
Elle avait l'air de lire, elle écoutait sa musique, après, elle
avait l'air de dormir, ils ne savent rien d'autre. Florence a
acquiescé d'un signe de tête. N'auraient-ils pas remarqué
quelque personnage louche aux abords de la piscine, aux
toilettes, dans l'ascenseur ? Ils n'ont rien remarqué.

❏

Pendant que Florence occupait les garçons — ne pas les
affoler surtout, ne pas les troubler, ne pas les terrifier —,
Robert a fait en vain le tour de l'immeuble, sonné aux
portes, donné une description de Fanny : cinq pieds deux
pouces, quatre-vingt-onze livres — on est aux États-Unis, il
faut quand même se faire comprendre —, yeux bruns,
cheveux châtains mi-longs, les dents brochées, un maillot
deux-pièces rayé bleu et jaune, sur l'épaule gauche, un
papillon tatoué au henné. Il y avait une photo datant de
deux ans dans l'album, il l'avait apportée. Puis, il a exploré
les alentours, la plage, il est allé jusqu'au Seven Eleven
pendant que les trois autres attendaient dans le condo.
Maintenant, le soir est tombé, la police a été appelée.

Deux policiers sont venus, une femme noire plutôt
menue, un homme trapu aux cheveux grisonnants taillés
en brosse, ils ont pris quelques notes, sont repartis en
hochant la tête d'un air encourageant. Ils penchent pour
une fugue, c'est fréquent chez les adolescents. Le mot
« pédophile » n'a pas été prononcé. Ils y ont sans doute
pensé, les policiers et les parents, un mot plein de terreurs
diffuses que personne n'a voulu dire.

Et puis, la nuit est là, et eux, près du téléphone,
attendent. Florence consulte sans arrêt sa montre. Onze

heures, onze heures quinze, onze heures vingt-cinq. Déçus d'être privés du souper au restaurant, Jonathan et Balthazar se sont couchés après avoir mangé des tartines au beurre d'arachide et bu un verre de lait. Même la télé a été interdite. «Où elle est, Fanny?» a chuchoté Balthazar quand Florence s'est penchée pour l'embrasser dans son lit. «Elle n'est pas loin, l'a-t-elle rassuré. Elle est allée se promener. Dors maintenant. Tu la verras demain matin.»

«Elle s'est volatilisée pendant que tu lisais ton maudit livre au lieu de surveiller tes enfants, grince Robert entre les dents.

— Pendant que tu jouais au golf, réplique Florence, crispée. Et ce sont nos enfants à tous deux, je te fais remarquer.»

Elle ne veut pas crier — les cris restent en elle, claquemurés. Elle va dans la chambre, ouvre le deuxième tiroir de la commode, prend le paquet de cigarettes — ultra minces, ultra légères — et le briquet qu'elle y avait cachés. Elle en allume une, fébrilement — doit s'y prendre à trois reprises avant de réussir à faire jaillir une flamme du briquet. «Qu'est-ce qui t'arrive? persifle Robert en la voyant. Tu avais arrêté de fumer, il me semble.» Elle ne dit rien. Il n'y a rien à dire. Elle fume parce qu'elle est angoissée. Tous les scénarios possibles s'incarnent dans sa tête. Reproches et remords se bousculent. Il fallait accepter qu'elle reste à Montréal, elle en avait tellement envie. J'aurais dû insister, j'aurais dû exiger, la défendre, la protéger, la surveiller, lui parler, l'amuser, la comprendre. Créer un lien de complicité avec elle. Après tout, la psychologie, c'est mon métier.

Plus tard dans la nuit, elle entend Robert répéter «Fanny» d'une voix mouillée. En lui, quelque chose s'est déchiré. En elle aussi.

Et puis, c'est l'aurore aux doigts de fée, le ciel blême peu à peu tourne au rose, les oiseaux se réveillent et s'interpellent dans le feuillage des citronniers. La bouteille de whisky — elle était neuve hier au début de la journée, la voilà vide — est couchée à terre sur le flanc, cinq mégots traînent dans le cendrier. Robert — l'ivresse, est-ce possible? l'a terrassé — ronfle à présent sur le sofa, affalé sur le dos, la tête renversée — évoquant une baleine échouée, songe Florence qui, soudain, doute de l'aimer. Elle se lève et se dirige vers la porte-fenêtre. Le front collé à la vitre, elle regarde sans comprendre le soleil se lever.

5

Boulevard Pie-IX le soir,
un film en noir et blanc,
une boîte de kleenex sur un sofa

... écrire un message sur le miroir...
... Florence, psychologue à la prison
des femmes, mère de trois enfants
d'âge scolaire...

Le salon est, comment le décrire, le salon est banal, dans un appartement banal. Et l'appartement, lui, est dans un immeuble banal bordant une de ces rues banales qu'on trouve dans les villes sans les chercher. Ce sont les mots qu'on cherche, on n'a rien à dire de rien, tant de banalité nous laisse sans voix, et pourtant ce salon existe, dans un appartement de cet immeuble dans cette rue bordée d'immeubles. Et quand on dit « immeubles », on se demande... Ils ont cinq étages, ils sont rectangulaires, leurs murs sont en carton, ils sont tous plus ou moins semblables, ils évoquent l'architecture soviétique — sans complaisance, c'est le moins qu'on puisse dire — de ces constructions qu'on se désole de voir dans les reportages qui décrivent la vie dans les pays de l'Est. « Boîtes à savon » serait plus juste.

L'immeuble ou la boîte dont on parle se trouve dans cette ville, Montréal, boulevard Pie-IX un peu au nord de Jarry. Voyons l'appartement. Meubles sans style, un sofa de couleur rouille, son fauteuil assorti, un pouf avachi, une table à café jonchée d'horaires télé, de mots fléchés, de revues féminines en papier glacé, recettes de ceci et de cela avec le compte exact de fibres, de fer et de calcium, propositions de menus pour différents réveillons — québécois traditionnel (le caribou servi en apéro avec des bâtonnets de céleri, des olives, la dinde farcie, les canneberges, la purée de pommes de terre, les beignes et la bûche au chocolat), sinon polynésien (avec des ananas), russe (un koulibiac), scandinave (l'aquavit, le gravlax), anglais (egg nog, soupe aux huîtres, oie rôtie, farce au pain, pudding aux fruits confits, sauce au brandy, sans oublier le thé juste assez infusé) —, trucs beauté, mode pour petit budget, l'incontournable robe noire (elle a l'avantage de convenir à tous les gabarits) qu'on revampe d'un Noël à l'autre en l'agrémentant d'accessoires — le sautoir, le médaillon, le carré de pure soie, petite folie du temps des fêtes, pourquoi ne se l'offrirait-on pas à soi-même en cadeau, suggère la chroniqueuse, on l'a bien mérité, les bas à motifs et, cette année, on a même sorti des boules à mites la folklorique ceinture fléchée (on a beau dire, en fin de compte, ces designers sont payés une fortune, mais ils n'inventent rien, tout a déjà été inventé) —, conseils médicaux s'adressant aux femmes stressées, ménopausées, atteintes d'un cancer ou d'un autre, conseils juridiques à celles qui sont en instance de divorce, qui veulent ou ne veulent pas la garde partagée, une section bricolage et décoration.

Une tasse de café sur la même table à café, quatre flacons de pilules — cachets, gélules, comprimés, capsules — multicolores, un téléphone, un cendrier immaculé. Une lampe sur pied en métal derrière le canapé, un voilage en tulle beige — ou blanc terni — devant la fenêtre. Derrière, la neige qui tombe voile la nuit. Une télévision allumée. Un palmier en plastique dans un pot, également en plastique, près de la fenêtre. Une moquette grisâtre — ou décolorée — couvre le sol. Dans la cuisine qu'on ne voit pas, on se figure sans risque de se tromper un prélart tout aussi déprimant.

Au mur, trois toiles naïves, de celles que les autochtones vendent aux touristes sur la plage de Cabarete, en République dominicaine, personnages peints en couleurs criardes sur fond de mer, de sable blanc et de ciel sans nuages — là-bas, c'est l'été à cœur d'année. De l'autre côté du couloir, on aperçoit un fragment de la chambre dont la porte est ouverte. Sur la table de chevet, un roman de la collection « Émotion » — sur la page couverture, deux silhouettes dessinées sont enlacées. La lampe, une bergère joufflue serrant dans ses bras un agnelet sous un abat-jour de satin, diffuse sa lumière rose sur un coin du lit couvert d'un édredon chamarré — fleurs fuchsia, feuillage vert —, sur une partie de la coiffeuse surmontée d'un miroir rond. Coincées entre le cadre et le miroir, trois photos, deux cartes postales — une avec des palmiers.

À la télévision, une femme aux cheveux gris cendre — une jeune femme, blonde sans doute, ou châtain pâle, mais le film est en noir et blanc — pleure en silence. Le téléphone, un vieil appareil noir à cadran, se met à sonner, mais elle ne répond pas. Dans le salon, une femme aux cheveux blond doré — elle frise la cinquantaine, l'a peut-être dépassée, mais ses cheveux sont teints, une teinture bon marché baptisée « Copenhague », qu'on applique soi-même, une fois par mois — tire un kleenex de la boîte posée à côté d'elle sur le sofa. Elle se tamponne les yeux, se mouche bruyamment, roule le kleenex en boule. Il rejoint sur le coussin six ou sept autres kleenex semblablement roulés. Le téléphone, un appareil beige à clavier, muni d'un afficheur, ne sonne pas — mais elle aimerait tant entendre sa sonnerie grelotter dans le soir, répondre à quelqu'un qui lui demanderait comment elle va. « Pas trop mal, dirait-elle, pas trop bien. Mais quel bonheur de t'entendre. Je pensais justement à toi. »

En arrière-plan sonore, des éclats de voix : le petit couple se dispute encore dans l'appartement voisin. « Maudite sans-dessein ! » « Maudit niaiseux ! » « Comment j'ai pu marier une sans-dessein pareille ! » « Comment j'ai pu faire un p'tit avec un niaiseux pareil ! » Des bruits de vaisselle cassée. « J'vas m'en aller pis tu me reverras jamais plus ! » Une porte claque dans le corridor — si fort que les gélules en tremblent dans leur flacon, que la tasse tressaute dans sa soucoupe sur la table —, quelqu'un dévale rageusement l'escalier, un bébé se met à crier. La femme aux cheveux blond doré soupire, elle tend la main vers la télécommande, augmente le volume. « C'est ça, va-t'en pis reviens plus ! » Mais les dernières paroles ont résonné dans le vide : on vient d'entendre, en bas, le fracas de la porte d'entrée refermée.

À la télévision, celle qui a les cheveux gris cendre — elle s'appelle Lola — tient un tube de rouge à lèvres dans sa main. Debout devant le miroir d'une coiffeuse, elle regarde fixement son visage. Magie du cinéma : malgré les larmes qui affluent dans ses yeux, son maquillage reste impeccable. Son mascara hors de prix doit être conçu pour résister à tous les fluides, larmes ou pluie. La femme banale dans le salon banal a, elle, les ailes du nez rougies, les paupières gonflées. Sur la coiffeuse en noir et blanc, un flacon de médicaments vide, une carafe d'eau, un verre, vide lui aussi. L'impeccable Lola a avalé tous les barbituriques. Elle a trop parlé, elle a trahi sans le vouloir l'homme qu'elle aimait, elle ne peut plus vivre avec cette réalité. La fin, on l'espère, surviendra sans trop de douleur — s'enfoncer dans la mort comme dans un rêve sans fin, un rêve lisse et mat. S'enfoncer ou se mettre à flotter. La femme dans le salon — elle s'appelle Ginette et n'aime pas son nom, elle aurait préféré Gina, Régine ou même Nettie — regarde fixement l'écran où l'autre femme, Lola, se regarde dans le miroir. Les violons reprennent le thème musical. Le cœur de ces deux femmes se serre, leurs yeux expriment tout le désespoir du monde. Pas de futur pour elles. Pas d'issue.

Nous entrons dans la tête de celle qui, à l'écran, contemple son reflet. Des images de son passé défilent : un homme brun aux longs cils, nez droit, mâchoire carrée, la tient enlacée, elle a les bras autour du cou de cet homme, leurs bouches se rapprochent. Voix de velours. *I love you so*, «Je t'aime tant» — mais Ginette n'a pas besoin de lire le sous-titre. Ensuite, on voit ce même homme tomber sur un trottoir, on le voit couché dans une flaque de sang pendant qu'une voiture, une Daimler noire, démarre en trombe, faisant crier ses pneus. On a tout juste le temps d'apercevoir, sur le siège du passager, un homme chauve, cigare au bec, qui range un revolver dans la boîte à gants.

Dans la tête de la femme aux cheveux teints en blond danois, des images passent aussi comme les photos d'un album qu'on feuillette : un homme aux cheveux bruns — Robert Laframboise — une vingtaine d'années plus tôt, une petite Chinoise, Daphné — c'était le nom de l'héroïne du roman que Ginette venait d'achever, le nom d'une jeune peintre qu'un émir allait aimer, ensemble, ils vaincraient toutes les embûches — adoptée à un an, ils avaient formé une famille, la famille Laframboise, tous trois se tenaient par la main devant la porte de leur bungalow neuf, dans une rue qui croisait le boulevard Taschereau, sur la Rive-Sud. Une photo montre la cour bordée d'une haie de cèdres soigneusement taillée, la rocaille, les pivoines et les rhododendrons, la balançoire. C'est l'été. Aux fenêtres de la cuisine, des rideaux de coton à pois jaunes, un voilage blanc ou beige dans le salon, une table de ping-pong dans le sous-sol fini. Ils avaient tout pour être heureux — n'est-ce pas comme ça qu'il faut dire, n'est-ce pas la phrase qui s'appliquait à leur état? Le samedi, elle prenait l'auto pour aller au supermarché pendant que l'homme jouait — et souvent perdait, volontairement ou non — au ping-pong avec la fillette. Elle rentrait deux heures plus tard lestée de sacs d'épicerie. Ses livres de recettes ouverts sur la table de la cuisine, elle écrivait les menus de la semaine. L'homme prenait une bière dans le frigo. Le dimanche matin, elle faisait avec la fillette des muffins aux bleuets, aux pépites de chocolat. La fillette était taciturne, mais, bon, c'était peut-être héréditaire, comment savoir? De la musique romantique jouait à la radio. L'automne venu, ils faisaient garder l'enfant et l'homme la traînait dans des parties d'huîtres organisées par ses collègues, elle le regardait s'empiffrer et ça la dégoûtait, mais elle ne disait rien, elle souriait même, un canapé à la main, sirotant son verre de vin. Après, dans la voiture, il soulevait sa jupe, une main grimpait entre ses cuisses, se faufilait dans sa culotte. «Où elle est, ma petite huître, ma petite huître à moi?» Ça la dégoûtait, l'odeur de coquillage — venait-elle de lui ou d'elle? — qui envahissait soudain l'habitacle. Encore une fois, pourtant, elle ne disait rien. Parce qu'au bout de l'épreuve il y avait cette maison neuve où elle se sentait bien, la famille Laframboise qu'ils formaient tous les trois, la fillette aux jolis yeux en amande, les feuilles mortes dans le jardin, la mangeoire pour les oiseaux. Et l'après-midi, quand le mari était au bureau — il était fonctionnaire avec une convention collective, une gamme complète d'avantages sociaux, d'infinies possibilités d'avancement —, quand donc il était au bureau et que l'enfant était à l'école, elle, dans le salon, tournait les pages de son livre, elle lisait un paragraphe ou deux, puis elle fermait les yeux, se projetait dans une autre vie en écoutant les chansons de Charles Aznavour, de Jo Dassin. Que c'est triste Venise et si tu n'existais pas et dire que c'était la ville de mon premier amour. Elle relisait sans se lasser sa collection d'histoires. Des hommes tourmentés prenaient des femmes dans leurs bras, des secrets étaient révélés, des silhouettes s'enlaçaient dans des roseraies, sous des tonnelles, dans de grands salons à l'éclairage tamisé, le soir, par les fenêtres, on voyait ces silhouettes se rapprocher, se coller l'une à l'autre, se mettre à valser. Des hommes prenaient des femmes dans leurs bras musclés. Ils ne disaient pas : « Où elle est, ma petite huître à moi ? », ils disaient : « Je vous aime, je vous aime tant, Regina. » La femme répondait : Edgar, Bruce, Esteban. *I love you so, te amo.* Puis, le soir revenait et avec lui, le mari, l'enfant, il y avait le souper à préparer, Regina redevenait Ginette, la vie — la réalité — reprenait ses droits et lui, l'homme, sa bière dans le frigo. Ils avaient tout pour être heureux.

Mais voilà, on tourne la page de l'album et la page suivante est vide, plus de photos. L'homme est parti, il s'est remarié avec une psychologue, ils ont formé une nouvelle famille, ils ont trois enfants, trois petits Laframboise qu'elle ne connaît pas. Et moi ? larmoie-t-elle intérieurement. Laissée pour compte. La maison vendue — à perte, elle avait été mal isolée, à l'époque, on était si peu informé —, cet appartement qui se délabre, ma pauvre santé. Moi, des enfants, je ne pouvais pas en avoir. Une grossesse ectopique, puis, après une salpingite, j'ai failli mourir, on m'a enlevé l'utérus et le reste. Je n'avais même pas trente ans. C'est tout de suite après qu'on a adopté Daphné. Quelques années de tranquillité, puis Robert est parti, je n'ai jamais compris pourquoi. Ma petite Chinoise a grandi, elle est partie, elle aussi, elle ne donne plus jamais de nouvelles. Comment elle gagne sa vie, je ne le sais pas. C'est peut-être aussi bien. Dans quatre jours, ce sera Noël, je suis sûre qu'elle n'appellera pas, elle ne l'a pas fait l'an dernier, ni celui d'avant. Il suffirait pourtant qu'elle téléphone. Je lui dirais : quel bonheur d'entendre enfin ta voix. Je lui dirais : viens quand tu voudras, on commandera des mets chinois, ou bien on cuisinera ensemble comme avant, on fera une de ces recettes que j'ai lues dans ma revue, un truc aux ananas, tu aimais ça, les ananas, quand tu étais petite. La femme au nez rougi tire le dernier kleenex de la boîte, se tamponne les yeux. Et moi, avec mes allergies, je ne peux même pas garder un chat.

D'autres pages sont tournées, d'autres images, d'autres souvenirs plus récents surgissent : dans un hôtel de Cabarete, l'hiver dernier, un homme nu dort à côté d'elle, son bras noir sur l'oreiller blanc, scintille le métal de la gourmette à son poignet. Elle lui a acheté cette babiole quelques jours plus tôt, non pas qu'elle soit riche, loin de là, mais c'est une sorte de gage, leurs deux noms, une date — celle de leur rencontre sur la plage — sont gravés. Il a dû la vendre pour acheter Dieu sait quoi. De la dope. C'est ça, de la dope, ou du rhum, n'importe quoi. N'importe quoi d'éphémère. Des fringues faussement griffées. Pour jouer au poker avec d'autres gigolos dans son genre, pareillement nippés. Ou bien il a donné l'argent à cette petite maigrichonne, j'ai oublié son nom, sa cousine, qu'il disait. Sa cousine. Et moi, pauvre imbécile, qui gobais ça. Sa cousine qui avait un enfant et n'était pas mariée, qu'il fallait aider. Leur enfant, oui! Comment j'ai pu ne pas voir ça? D'autres images encore surgissent qu'elle préfère chasser mais qui, têtues, s'accrochent, maudites sangsues: l'éblouissante lumière du matin entrant par la fenêtre de la chambre, encore un jour de soleil et d'amour en perspective ô mon amour, toi enfin, je t'attendais tant, si follement, depuis si longtemps, tu es si jeune, mon amour, si fringant, avec toi je suis devenue ou redevenue belle, quand tu prends mes seins dans ta bouche, je sais que mes seins sont beaux, dans tes mains, mes fesses sont rondes et désirables, quand tu humes mon cou, les flétrissures n'existent plus, quand tu mordilles les lobes de mes oreilles, quand tu chatouilles la paume de ma main, quand tu plonges en moi, je n'ai plus d'âge, j'ai vingt ans, quand tu plonges en moi, je suis la mer salée, je t'accueille et tu nages dans mes profondeurs comme un poisson agile, encore un jour de vagues tièdes, de gouttelettes que nous léchons sur la peau l'un de l'autre, un jour de cocktails au rhum partagés dans un bar au toit de chaume sur la plage, *Mar azúl* ou autre chose, *Sol alegre, Tropicoco*, encore un soir à danser la salsa dans tes bras, je ne sais pas les pas, mais tu me guides, nous tournons, enivrés, encore une nuit de gestes frénétiques, de cris, de geignements, de soupirs passionnés, ça faisait si longtemps, j'avais oublié que le bonheur existe, je ne savais pas que le corps était un tel coffre de trésors, *tu concha*, dis-tu, elle s'ouvre pour toi, *mi concha*, l'huître se tend et frétille dans sa coquille. Puis le matin est là avec la réalité qui saute au visage, la place vide dans le lit, le sac à main ouvert sur la commode, le portefeuille délesté de tous les dollars américains qu'il contenait. Et la carte guichet — Ginette se rappelle qu'il l'observait, la veille, pendant qu'elle faisait un retrait. Il a dû noter le numéro secret. Il faut maintenant faire un interurbain, signaler cette perte — elle refuse de dire le mot « vol », trop humiliant — à la banque. Elle refuse de donner les détails — femme seule et triste et vieillissante, homme jeune à la peau lisse et aux dents blanches, trois nuits d'amour trop belles pour être vraies. *Concha*, tiens, ça lui revient maintenant, c'était le nom de la fameuse cousine. Concha, Conchita. C'était comme ça qu'elle s'appelait, la cousine. Ils se sont bien foutus de moi. Quel est ce goût amer qui emplit soudain sa bouche ? Encombrement des glandes lacrymales, débordement, les larmes coulent de partout, submergent tout, les yeux, le nez, et maintenant la bouche. Elles doivent avoir remplacé le sang dans les veines. Mon cœur pompe des larmes.

Encore des images. Plus tard, sur la plage, elle, comme folle, elle ne se reconnaît plus, elle qui le cherche partout, elle veut le retrouver, « Ernesto, demande-t-elle aux inconnus qui vendent des toiles naïves, des CD piratés, *¿ tu visto Ernesto ?* » Mais ils secouent la tête, de larges sourires découvrant leurs dents blanches, leurs dents cariées, leurs dents manquantes. Elle est prête à lui pardonner, déjà elle lui pardonne, il faut juste qu'il revienne, elle lui donnera ce qu'il voudra, s'il veut d'autres billets, elle fera d'autres retraits, il n'a qu'à le dire, pas besoin de la voler. Elle veut juste revenir, l'an prochain et l'autre après, elle veut juste revenir une semaine par année jusqu'à la fin du monde, juste revenir et qu'il soit là. Tout à l'heure, en noir et blanc, Lola courait elle aussi dans la nuit, répétant le nom de l'homme qu'elle aimait, Lola était comme elle.

Tous ces corps, corps dans le sable, corps dans les vagues, mais pas le sien. Ernesto ? *¿ Visto ? ¿ Donde ?* Dans les bars au toit de chaume, tous ces visages souriants, tous ces gens qui s'amusent ou qui font semblant, ces mains qui lèvent des verres de cocktails au rhum, noix de coco, jus d'ananas, mais pas son sourire à lui, son sourire faux ou sincère, pas ses mains expertes. Et, tiens, même Concha, d'habitude omniprésente dans les bars de la plage, même Concha n'est pas là.

Tu concha para mi cola. Et en français, comment tu dis ? Zizi ? Elle riait. Oui, mon chéri. Ton zizi, tes couilles, tes gosses. Le bonheur existe ? Dans quel roman a-t-elle lu ça ? Le dernier jour, en faisant sa valise, Daphné avait dit : « Pauvre Gigi. Tu manques d'envergure. » Gigi ? Elle tend la main pour prendre un kleenex, la boîte est vide, elle avait oublié, elle s'éponge les yeux avec un de ceux qui sont roulés en boule à côté d'elle. L'ombre à paupières se délave.

Dans l'appartement voisin, le silence est enfin revenu — pour combien de temps ? Le branle-bas de combat va reprendre, inévitablement, à quatre heures du matin. C'est comme ça chaque fois que ce type part et qu'il revient.

Avec son rouge à lèvres, Lola aux cheveux gris cendre trace les mots *Forgive me* dans le miroir. En même temps, en blanc sur le noir de sa jupe, les mots « Pardonnez-moi » apparaissent en sous-titre.

Ginette se penche vers la table à café, prend l'horaire télé. Sur une autre chaîne, un nouveau film doit être sur le point de commencer. Pour dire que le bonheur existe. Ou qu'il n'existe pas.

6

Le soir dans une cuisine, une femme au téléphone, un bébé qui pleure

*Avec le mari que j'avais, j'ai chialé
plus souvent qu'à mon tour, je vous en
passe un papier.
Comment j'ai pu faire un p'tit avec un
niaiseux pareil !*

« M'man ? C'est Steph... Stéphanie, m'man, ta fille, t'en as pas cinquante-six ?... Non, ça va... Ben non, j'pleure pas. J'voulais juste... Non, non, j'pleure pas, j'te dis... J'ai l'air dans tous mes états ? Non, non, c'est le bébé, j'vais m'en occuper. Dans cinq minutes, y va pas mourir... J'le sais qu'y est tard. Mais toi, d'habitude, tu dors pas de la nuit... C'est ça, tes insomnies. J'voulais juste... Bon, parler, oui, c'est ça, parler, prendre des nouvelles, ç'a l'air de te surprendre. Juste cinq minutes, j'veux pas te déranger. Avec Francis, on peut jamais rien dire. Dès que j'ouvre la bouche, y grimpe dans les rideaux... Là, y est encore parti. Y paraît que le steak haché du pâté chinois était pas assez cuit au souper, pis y a trouvé des grumeaux dans les patates pilées. Une tragédie grecque. Y a ruminé ça pendant une couple d'heures, pis la chicane a pogné, comme d'habitude. Chus rien qu'une sans-dessein, j'sais même pas faire à manger. Y raconte n'importe quoi. Tu peux m'dire comment le bœuf peut être pas assez cuit après avoir passé une demi-heure dans le fourneau? Y est fou, c'est pas plus compliqué que ça. J'le fais exactement comme tu 'l'faisais, le pâté chinois... Ah, toi tu le laisses trois quarts d'heure? En tout cas, j'le fais avec des oignons, de la sauce HP. Sa mère, à lui, met des p'tits pois, pis une autre sorte de sauce. Non, non, pas de la Tabasco, un machin anglais avec un nom impossible à se rappeler. Moi, j'en mets pas. J'le fais comme toi, HP, blé d'Inde en crème, c'est bien meilleur, mais lui, évidemment, faut qu'y trouve à redire... En plus de ça, la cerise sur le sundae, j'avais oublié une couche sale dans les toilettes. Deuxième tragédie. Là, y s'est mis à gueuler, les yeux sortis de la tête, y a lancé un verre pis une assiette sur le mur, un peu plus, c'était sur moi que ça revolait. Pis c'est qui, tu penses, qui a ramassé les dégâts? Alors, évidemment, y a réveillé le bébé. Y dit qu'y reviendra plus. Mais tu sais quoi? J'm'en fous. Bon débarras. J'y ai dit. Y peut bien passer le reste de sa vie à boire quand c'est pas à sniffer de la coke avec ses chums, pis finir dans la rue à quêter pour un café. Tu vas voir qu'un bon jour, y va se retrouver à vendre *L'Itinéraire* à la sortie du métro. En tout cas, c'est pas moi qui vas y en acheter un exemplaire. Toi non plus, j'espère... Mais c'est pas pour te raconter ma vie plate que je t'appelais. J'voulais te parler cinq minutes, savoir comment t'allais... Ah! J'te dérange?... T'écoutais un film sur le câble? Un vieux film sous-titré?... Tu sais bien qu'on tire le diable par la queue, on a pas les moyens d'avoir le câble. Avec c'que nous donne le BS, un coup qu'on a payé le loyer, le téléphone pis l'électricité, c'est à peine s'il nous reste de quoi acheter les couches du bébé... Sans compter que le bazou de Francis est toujours cassé. Quand c'est pas le démarreur, c'est le frein à bras, le réservoir ou j'sais pas quoi qui est percé. Ou bien y faut mettre des pneus d'hiver. J'parle même pas des contraventions parce que Francis est jamais foutu de se stationner du bon bord de la rue. T'as une idée combien ça coûte le "remorquage à nos frais"?... J'le sais bien qu'on a pas besoin d'un char, c'est pas à moi qu'il faut dire ça, y a l'arrêt d'autobus au coin de la rue, on est pas si loin du métro, mais essaye donc d'y faire rentrer ça dans le coco. Y paraît que monsieur en a besoin. Supposément pour se trouver une job. Comme si y en cherchait une. De toute façon, c'est pas moi qui embarque dedans. Ni le p'tit... Qu'est-ce que tu dis? Une fille qui vient d'avaler une bouteille de somnifères? Une fille qui veut se suicider? Quelle fille?... Ah! Dans le film. Tant mieux pour elle. J'veux dire qu'elle est bien chanceuse d'avoir des somnifères. Moi, j'en ai pas, même si j'dors pas... Mais non, même si j'en avais, tu sais bien que j'les prendrais pas. Ça va pas si mal que ça... Ben non, m'man, inquiète-toi pas, chus pas rendue aussi bas. C'est juste que... J'pensais pas que ce serait comme ça. La vie, j'veux dire. Avec Francis. C'est pas une vie, j'veux dire. Pas une vie pour une fille de mon âge. Toujours entre quatre murs, c'est comme si j'étais enfermée dans une prison. Pourquoi je serais dans une prison, j'ai jamais rien fait de mal... C'est pas juste, la vie, t'as raison... J'peux même pas me payer le cinéma, des fois, même pas le mardi après-midi quand ça coûte moins cher. Y faudrait que Francis garde le p'tit, pis y est jamais là... Comment j'ai pu tomber en amour avec un niaiseux pareil, tu peux m'le dire? Pis, le pire de tout, ç'a été de faire un p'tit avec lui... Tu m'avais mise en garde? C'est vrai, comme d'habitude, j'ai pas voulu t'écouter... Oui, je sais, j'te ressemble, on est pareilles nous deux, telle mère telle fille. Des missionnaires. Y a une femme qui a écrit tout un livre sur ça, je l'ai entendue à la télévision l'autre jour. Sinon c'était à la radio, l'émission du matin. En tout cas. D'après c'que j'ai compris, c'est souvent héréditaire... Avec le mari que t'avais, t'en as chialé un coup, j'le sais. Une fortune en boîtes de kleenex. Mais moi, j'veux pas te ressembler, j'ai pas envie que ma vie soit comme la tienne, j'veux pas la passer à brailler... Non, excuse-moi, j'voulais pas dire ça comme ça. C'est sorti tout croche. C'est juste que... Bon, le film est fini ? La fille est morte ? C'est juste un film, m'man, pleure pas... C'est ça, mets le poste des nouvelles. Les nouvelles, ça remonte le moral. C'est une joke, m'man. J'le sais bien qu'ils parlent juste de la guerre aux nouvelles, Bagdad, Haïti, l'Afrique, toutes sortes de places où on voudrait jamais être... Le procès du pédophile est commencé ? Rien qu'à entendre le mot, j'enrage. J'espère qu'y va passer le reste de ses jours en dedans. Y paraît qu'en prison, les gars leur font passer un mauvais quart d'heure, aux pédophiles. À leur place, moi, j'y couperais le sifflet pis j'y ferais avaler tout rond mariné dans de la sauce Tabasco. Y sentirait combien ça brûle. J'sais pas si t'as entendu ça, mais y a une p'tite fille de quatre ans, l'autre fois, son père abusait d'elle en direct sur Internet. La police l'a pincé... OK, t'as raison, on va parler d'autre chose... Le bébé pleure, j'le sais, j'ai des oreilles pour l'entendre. Y a des coliques parce que j'peux plus payer l'Enfalac. J'y donne du lait de vache. Tu m'en as ben donné, à moi, pis j'ai survécu, non ?... Ah ! bon, moi aussi, j'avais des coliques, j'pleurais le jour comme la nuit ? J'm'en rappelle pas... C'est une joke, m'man, c'est sûr que j'peux pas avoir des souvenirs de ça, j'étais un bébé... Y pleure parce que Francis l'a réveillé quand y a lancé la vaisselle sur le mur, même que, à c'te moment-là, la voisine a mis sa télé à tue-tête, elle devait écouter le même film que toi, on entendait des violons, ça avait l'air pas mal triste, pis c'était en anglais... Non, c'est pas encore l'heure de son biberon... Ben oui, j'le prends, je l'ai toujours dans les bras, j'le promène de la cuisine au salon, je l'emmène dehors, qu'est-ce que tu penses, chus pas une mauvaise mère. C'est juste que là, chus fatiguée, pis la scène de Francis m'a mis les nerfs en boule. À part de ça, t'as vu la neige ? J'peux quand même pas le sortir dans la tempête... Tu sais quoi ? Demain, j'vais faire changer les serrures, comme ça, c'est vrai qu'y reviendra plus, Francis, y pourra plus rentrer... Je parle sérieusement. J'aurais juste besoin d'un peu d'argent pour les nouvelles serrures pis les clés... T'en as pas, j'le sais. En tout cas. Mais j'en ai ma claque, tu peux pas t'imaginer. C'est ça que t'aurais dû faire, toi aussi, changer les serrures de la maison. Quand y arrivait complètement soûl, y serait resté sur le perron au lieu de... OK, c'est des vieilles histoires, t'as pas envie de parler de ça. À vrai dire, moi non plus. J'voulais juste prendre des nouvelles. Ton emphysème, tes migraines, tes varices... Tu vis avec, t'es habituée, j'comprends. Pis pour ma tante Doris, j'me demandais. Comment elle va ?... Des métastases, tu penses ?... Ah ! T'as parlé au docteur. Pis qu'est-ce qu'y dit ?... Des quoi ?... Lymphocytes ? C'est quoi, ça ?... Ah ! Des genres de globules blancs. Les ganglions... Y est pas optimiste... Ah ! bon. On s'en doutait, nous autres non plus on était pas optimistes, mais quand même. Ça m'fait de la peine pour Doris, je l'ai toujours trouvée fine... Combien de temps, d'après lui ?... Pas plus que ça ?... J'le sais que c'est de famille, grand-mère est morte de ça. J'avais quatre ans, n'empêche que j'm'en rappelle comme si c'était hier, on allait la voir à l'hôpital, après, ç'a été le salon funéraire, l'enterrement, t'arrêtais pas de pleurer, j'ai rien oublié. J'te revois encore dans la cuisine, en pelant les patates... Non, j'ai pas passé de mammographie, j'ai pas encore l'âge d'attraper le cancer... Oui, je sais, ta sœur Martine a eu celui des ovaires, est morte à trente-deux ans. Mais moi, j'en ai juste vingt et un... OK, la semaine prochaine, j'vais prendre un rendez-vous au CLSC... T'as appelé toute la soirée pis ça répondait pas à son téléphone, t'es inquiète?... Elle doit être allée jouer aux cartes, c'est pas le mercredi soir son rendez-vous avec ses chums de femmes pis les chauffeurs de taxi?... Au Bout du monde, rue Saint-Zotique, c'est ça. Tu pourrais peut-être appeler là... C'est un peu tard pour appeler? Ben non, m'man, y sont ouverts toute la nuit, c'est un restaurant pour les chauffeurs de taxi, ils ont pas d'heure, eux autres, ils mangent n'importe quand, quand ils ont pas de clients... T'as raison, quand on a un traitement de chimio le lendemain matin, c'est pas raisonnable de passer la nuit à jouer. Pourtant, dans un sens, si y lui reste si peu de temps, j'me dis que c'est aussi bien qu'elle en profite, pauvre ma tante. Après, y va être trop tard, quand elle va être dans son lit d'hôpital en phase terminale... De toute façon, elle a un genre d'amoureux, un Russe, qu'elle voit le mercredi, ils sont peut-être ensemble. Du moins, je l'espère pour elle. C'est pas dans un lit d'hôpital qu'une femme peut s'envoyer en l'air. Surtout pas à l'étage des soins palliatifs... Mais là, je t'appelais parce que... J'voulais te dire que j'ai pensé à quelque chose. J'ai un projet... Un projet, oui, t'as l'air surprise. J'veux retourner au cégep, suivre des cours pour devenir, j'sais pas, photographe, fleuriste, assistante dentaire, quelque chose dans ce genre-là, de pas trop compliqué, masseuse, peut-être... Ben non, pas masseuse érotique, masseuse thérapeutique... Une technique, avec pas trop de livres à acheter, j'ai pas d'argent pour ça, pis pas trop de temps pour étudier... C'est vrai que j'ai jamais été studieuse à l'école, mais j'ai changé depuis que j'ai un bébé... Maintenant, j'ai de l'ambition, j'veux avoir un métier, quoi! Chus pas plus bête qu'une autre... J'veux un bon salaire au bout de la semaine. J'veux pas tirer le diable par la queue jusqu'à la fin des temps… Je jongle à ça depuis une couple de mois. Avec un métier, j'aurai de l'argent, j'pourrai prendre des vacances comme tout le monde, j'irais au bord de la mer, à Cuba ou en République dominicaine, à Cabarete, y a plein de Québécois qui vont là-bas… Même que j't'emmènerais, t'es jamais allée au bord de la mer, t'aimerais pas ça?… Non, l'idée, c'est pas de passer mes nuits à bambocher pendant que tu garderais le bébé. J'te demande jamais de le garder… Bon, presque jamais. J'te demande rien, là, j'disais ça comme ça, j'pensais que ça te ferait plaisir. C'est pas que j'veux faire un échange, j'essaye pas de t'acheter… Je sais que t'as fait ta part, t'as déjà bien donné, t'es à bout, t'as le droit de te reposer, j'connais tout ça par cœur. Justement, au bord de la mer, tu pourrais te reposer pour une fois… Excuse-moi… On dirait que j'passe mon temps à m'excuser. Quand c'est pas à cause du pâté chinois raté, c'est parce que… OK, j'arrête. Mais c'est vrai, m'man, j'veux retourner au cégep. J'vais trouver une garderie subventionnée. J'pourrais essayer d'avoir une petite bourse, le gouvernement nous en donne quand on est, comment ils disent… Défavorisée, c'est ça. J'ai juste à remplir le formulaire, j'vais m'informer. Sinon, qu'est-ce que tu veux que j'fasse, que j'aille danser toute nue dans les clubs de truckers comme Julie Masson?… Julie Masson, j'ai dû t'en parler dans le temps, on était dans la même classe en secondaire trois, après ça, sa famille a déménagé, elle a changé d'école… C'est ça, ils avaient le dépanneur sur la cinquième… Elle est devenue danseuse nue, c'est Francis qui me l'a dit, y l'a reconnue dans un club, quelque part sur la Rive-Sud. Ben belle, à ce qui paraît. Un corps parfait, c'est ça qu'y dit. Je m'en fous. Au secondaire, elle avait les cheveux frisés comme un mouton, elle faisait de l'acné, y avait pas un gars qui voulait sortir avec elle, tandis que moi... Tu t'en rappelles, m'man, avec moi, c'était un vrai défilé, le téléphone dérougissait pas. J'ai juste choisi le pire de la bande... Julie Masson. Les cheveux frisés, oui. Ceux qui sortaient avec elle, bon, oui, y en avait, des fois, j'te dis même pas comment ils l'appelaient... Ils l'appelaient Julie Ma Suce... Ben non, c'est pas correct, mais c'est comme ça... Le dépanneur sur la cinquième au coin de Lanaudière, ou des Écores, ça n'a pas d'importance... Elle a changé de nom, se fait appeler Jenny. Franchement. N'empêche que Francis l'a reconnue. Mais moi, j'peux même pas danser nue, maintenant j'ai des vergetures sur le ventre. C'est pour ça qu'y veut plus baiser, y dit que ça l'écœure, des marques de même. Que ça le fait débander. Y dit que je sens le lait suri. Comment je peux sentir le lait? J'ai même pas allaité... Mais oui, qu'est-ce que tu penses, j'me lave, j'prends mon bain tous les jours. On dirait que t'es de son bord à présent... J'crie pas, c'est juste que... Excuse-moi. J'le sais, tu veux pas que je rate ma vie. J'ai pas l'intention de la rater... Des concessions, tu dis? Toi, t'as pas arrêté d'en faire, pis qu'est-ce que ça a donné?... Écoute, j'vais retourner aux études, pis ça va mieux aller... Des cours du soir? Oui, peut-être, j'sais pas, on va voir. Y me semble que c'est plus long quand on fait ça en cours du soir... J'vais me faire des amis qui ont du bon sens, t'inquiète pas, j'vais me débrouiller. Y faut juste que ce soit vrai qu'y revienne pas. Le problème, c'est qu'y revient toujours, pis moi, quand y revient, chus pas capable de résister, j'ai plus de volonté, c'est comme si j'étais ensorcelée, j'espère toujours que ça va changer, y m'fait des promesses, pis moi, une vraie dinde, j'y crois... C'est ça le problème des femmes missionnaires. On veut sauver nos hommes. Elle a dit... La femme qui a écrit le livre dont j'te parlais. Oui, elle a dit... Attends, c'est beau comment elle a dit ça. "À vouloir sauver les hommes, les femmes se perdent." Enfin, quelque chose comme ça… Où y est allé ? J'en ai aucune idée, pis je m'en fous complètement. Voir danser Julie Masson au corps parfait, sans doute. Ou d'autres poupounes dans son genre. C'est pas plus grave que ça… Écoute, j'te laisse, y faut que je m'occupe du p'tit maintenant. Y doit être rouge comme une tomate, si y continue de s'époumoner comme ça, y va finir par s'étouffer… Qu'est-ce que tu dis ? Un accident sur le boulevard Taschereau ? Deux morts ?… Ça m'étonnerait qu'il ait eu le temps de se rendre jusque-là. Ce serait trop beau… T'as un mauvais pressentiment ? Arrête, m'man… Ben non, j'ai jamais voulu qu'y meure, c'était juste une façon de parler… Y a pas eu le temps de se rendre sur la Rive-Sud, j'te dis. Y doit être quelque part aux alentours, des clubs de danseuses, c'est pas ça qui manque à Montréal. J'le connais, y va rentrer paqueté ou ben gelé à quatre heures du matin, pis si le bébé s'est endormi, y va le réveiller, la voisine va encore se mettre à cogner dans le mur, une vraie chipie, celle-là. Une blonde teinte qui a l'air du diable. Pas capable de laisser le monde vivre en paix. Quand j'la croise dans l'escalier, j'ai juste envie de la rentrer dans le mur, elle aussi, de l'écrapoutir… Arrête avec tes intuitions, j'pourrai pas fermer l'œil de la nuit, pis demain, j'aurai plus de patience avec le bébé… J'veux pas qu'y meure, qu'est-ce que tu penses, j'veux pas qu'y soit mort, je l'aime. Si je l'avais pas aimé, je l'aurais pas marié, j'aurais pas fait un p'tit avec… Pis lui aussi, y m'aime dans le fond, j'le sais, j'le sais qu'y m'aime… Arrête, m'man… »

7

Trois heures de l'après-midi,
sur une plage à Cabarete

*Une chaise longue abandonnée, un
vieux ballon aux couleurs passées roule
puis s'arrête sur la ligne des vagues...
... J'irais au bord de la mer, à Cuba
ou en République dominicaine, à
Cabarete...*

*M*ar *azúl*, trois heures de l'après-midi. Il vient de
débarquer, le grand blond baraqué. Ex-blond, c'est-
à-dire, il y a surtout du gris dans ses cheveux trop courts.
Assise au comptoir devant son verre de coca-cola éventé,
Concha, du coin de l'œil, le voit entrer. La peau bien pâle,
il va brûler, c'est sûr. Le genre qui tourne au rouge bette-
rave après une heure au soleil, le genre qui pèle. À vue de
nez, elle lui donne une cinquantaine d'années, le début,
cinquante-trois peut-être, ou un peu moins, un peu plus,
c'est dur à dire dans son cas. Et mal habillé — le pantalon
gris en tissu synthétique, la ceinture en faux cuir, grise
aussi, le polo vert olive bon marché, il doit porter ça
depuis... depuis qu'un vieil oncle ou grand-oncle lui a

légué sa garde-robe par testament. Cet homme ne met jamais les pieds dans un magasin, il ne s'achète jamais de nippes ? Deux cerises trônent sur ce sundae pour le rendre encore plus indigeste : le paquet de cigarettes dans la poche de poitrine, les lunettes de lecture qui pendent au bout d'un cordon brun, un lacet, on dirait. Comment ils disent déjà ? Ils ont un mot pour ça, un mot qui la fait toujours rire. Ah ! oui, quétaine, c'est ce mot-là.

C'est la première fois qu'il vient à Cabarete, elle en mettrait sa main au feu. Vingt-cinq ans plus tôt, il devait être plutôt pas mal, quand ses cheveux étaient tout blonds, un peu plus longs. Plutôt pas mal mignon. L'espace d'un instant, elle l'imagine musclé mais svelte, vêtu d'un jean bien coupé, moulant là où il faut mouler, le torse nu orné de juste ce qu'il faut de poils dorés, les cheveux bouclant à peine sur sa nuque, les yeux qui brillent dans le visage bronzé. Elle l'imagine avec une planche de surf, se frayant d'un pas assuré un chemin entre les corps vautrés sur la plage, elle l'imagine debout sur la crête des vagues, et le soir, elle dans ses bras, dansant la salsa. Juchée sur ses talons aiguilles — pour que leur couple n'ait pas l'air trop absurde, loufoque même, elle si petite, lui si grand —, faisant tourbillonner sa jupe rose à volants. Son odeur, elle l'imagine encore un peu salée, s'y mêle un soupçon acidulé — son after-shave à la lime. Il aurait été tout à fait son genre. Et peut-être, qui sait, qu'elle aussi aurait été son genre à lui, son genre pour plus qu'une ou deux nuits, peut-être qu'il l'aurait demandée en mariage, lui aurait proposé d'aller vivre avec lui dans une de ces villes du nord. Et peut-être qu'elle aurait dit oui et, l'hiver, elle serait revenue à Cabarete en avion, pour les vacances, avec des tonnes d'argent à jeter par les fenêtres. Mais voilà, *cariño*, t'arrives juste vingt-cinq ans trop tard, dommage. Et pourtant. Pourtant, même encore, d'une certaine façon, elle doit l'admettre. Mal habillé, les mains larges, les phalanges couvertes de poils frisés, un cou de taureau, les joues — ou bajoues — couperosées, les sourcils en broussailles, le crâne presque tondu, mais pas mal malgré tout — comme s'il restait quelque chose de la splendeur passée qu'elle lui donne en cadeau.

D'ailleurs, elle, vingt-cinq ans plus tôt, elle n'était même pas née.

Elle jauge les bras musclés, le ventre épais mais presque plat, évalue le poids de son corps sur elle — s'il aime baiser en missionnaire. Ça peut aller. Il faut juste espérer qu'il n'ait pas des exigences trop olé olé. Ces gars du pôle Nord, quand ils viennent dans les îles en vacances, c'est comme si leur soupape de sécurité sautait, la chaleur les rend déchaînés, ils veulent te faire faire des trucs invraisemblables, ils ont envie d'essayer toutes sortes de positions et contorsions plus ou moins abracadabrantes qu'ils ont vues dans des revues ou des films pornos — des trucs qu'ils ne proposeraient bien entendu jamais à leur femme légitime. Ni même à leur maîtresse, s'ils en avaient une. Elle se demande s'il est marié. Elle ne voit pas d'alliance, mais ça ne veut rien dire. Divorcé, peut-être. Sans importance, ils ne viennent que pour une semaine, deux au maximum, ils font en quelque sorte le plein, puis, repus, la mémoire débordant de souvenirs croustillants, ils retournent dans leur igloo, retrouvent leur famille, leurs contraintes. Calmés pour un an. L'important, c'est qu'ils aient de l'argent, plein de dollars à dépenser. Elle est gentille avec eux, au fond, c'est juste un échange de bons procédés, les deux parties trouvent leur compte dans ce marché. Elle leur donne ce qu'ils demandent, elle prend ce qu'ils lui donnent, elle n'a jamais volé. C'est-à-dire presque jamais, et peu de chose en somme : l'an dernier une montre qu'elle a donnée à Raúl et qui avait l'air d'être de qualité, mais — il ne faut pas se fier aux apparences — qui n'a pas fonctionné trois mois, quelques billets verts qui traînaient dans la poche d'un pantalon pendant que, couché sur le dos, le vacancier ronflait. Il n'a même pas dû s'en rendre compte.

Mine de rien, elle l'observe. Un Québécois? Elle n'en est pas tout à fait sûre. L'avion de Montréal a atterri ce matin, elle le sait, elle sait tout ça, les heures des arrivées, le lieu d'origine des vols, il est encore si pâlichon, le pauvre, il devait être dans cet avion-là. Concha se débrouille plutôt bien en français — il vient tellement de Québécois ici, elle a fini par apprendre leur langue, c'est la moindre des choses, et le métier veut ça. Pour communiquer, il faut commencer par se comprendre.

Il s'assoit au bar, pas très loin d'elle, commande un *Cuba libre* — *rhum and coke,* dit-il, oui, c'est ça, un peu vieux jeu. Elle bouge un peu, se tourne de côté, croise une jambe, puis la décroise, de façon à lui donner un aperçu, en plongée, de ses cuisses minces et basanées. Une sandale tombe, elle pointe un pied cambré, fait mine d'examiner ses ongles d'orteils écarlates — *profundo carmesi,* comme c'est écrit sur le flacon de vernis, le titre d'un film, lui a dit son cousin Ernesto qui sait tout, un film mexicain assez tordu, une histoire de voleurs paumés et qui finit en queue de poisson. Elle remue les épaules — ses seins menus se dessinent, les mamelons pointent sous le coton délavé du débardeur turquoise. Elle ne porte pas de soutien-gorge et veut qu'il le remarque.

Le moment est venu pour la pêcheuse de lancer sa ligne dans les flots. La mer est bien calme aujourd'hui. Le poisson mordra-t-il? Il boit sans la regarder. Un gay? Si c'est ça qu'il cherche, elle pourrait lui présenter Ernesto, il est à voile et à vapeur — comme il l'affirme avec philosophie, lui qui a lu pas mal de livres, la vie est courte, il faut bien qu'on s'arrange pour la vivre et pour la vivre le mieux possible, c'est la seule chose qui dépende de nous. Un auteur grec de l'ancien temps disait quelque chose dans ce sens, il paraît. *Qui veut la fin veut les moyens.* Pour Ernesto, la fin, c'est un appartement bien meublé dans la capitale, télé couleur avec écran géant au plasma, ordinateur avec scanner, MP3, graveur de DVD, une belle auto sport, italienne ou allemande, qui brillera de tous ses feux devant l'entrée, un voilier dans le port de plaisance. Il dit que le voilier s'appellera *Lolita* et qu'il y aura tout ce qu'il faut dedans, un bar, un radar et Dieu sait quoi encore. Il se donne encore cinq ans. Peut-être qu'après, il va se mettre à écrire ses aventures. Entre légèreté et… autre chose. Mélancolie, peut-être. « Il y a plein d'idées qui mijotent làdedans, dit-il souvent en se touchant le front. Assez pour faire une série télé. Il faut juste qu'un producteur tombe sur mes mémoires. »

Concha, elle, est un peu moins optimiste, des années, elle s'en donne encore une douzaine et elle oublie la voiture sport, le voilier, l'ordinateur. Un appartement, même tout petit, et elle sera satisfaite.

Elle regarde le blond baraqué avec plus d'attention. Non, non, ce type n'a rien d'un gay, elle sait les reconnaître. Celui-là est aux femmes. Elle prend une cigarette, se rapproche pour lui demander du feu. Il lui tend sans un mot son Zippo.

« Québécois ? » demande-t-elle. Il hoche la tête. Ça peut vouloir dire oui, ça peut vouloir dire non. Elle attend. Mais rien, il ne dit rien. Un bourru, ou un timide. Pas grave. Même que, d'une certaine façon, elle préfère ça. D'habitude, ce sont les boute-en-train qui, au lit, lui donnent le plus de fil à retordre. Pas plus tard que mardi dernier, un gros jovial — un genre de marlin qu'elle avait pris ici même dans ses filets, à presque la même heure —, l'a inondée de piña colada avant de la lécher. Son nom : Martin Barbeau, vendeur d'ordinateurs, venu avec le groupe des meilleurs — un cadeau de la compagnie reconnaissante, une multinationale qui fait tout fabriquer en Chine, parce que ça coûte moins cher comme ça. Concha pense parfois qu'elle pourrait aller travailler en Chine, Ernesto dit qu'ils ne manquent pas de boulot là-bas, mais qu'ils manquent de filles. Elle pourrait travailler — un travail de fille, rien de trop exigeant — pour une de ces compagnies-là... Quoi qu'il en soit, le lendemain, son vagin a brûlé toute la journée, c'est à peine si elle pouvait marcher. Elle a eu peur d'être malade. Est-ce que ça peut se faufiler très loin à l'intérieur, le rhum, abîmer — à jamais peut-être — des organes fragiles ? Une chose est sûre : elle ne va plus jamais accepter ça. Ou, si elle l'accepte, ils devront y mettre le prix, et ça ne sera pas donné. La seule chose pour laquelle elle ne fait pas de concession, c'est le condom. Ou ils le mettent ou ils remballent leur bataclan. Elle réprime de justesse un éclat de rire en repensant au mot. Martin Barbeau appelait son oiseau comme ça. Elle, elle disait : *tu bataclanito chiquitillo*. Parce qu'avec un machin de cette taille, un oisillon, en fait, il n'avait pas de quoi faire le jars. Les costauds sont parfois bien surprenants.

« Je m'appelle Concepción, reprend-elle. Mais ici, tout le monde dit Concha, Conchita. » Il ne réagit pas — bizarre, habituellement, son prénom les fait sourire, ils se mettent à lui chanter la chanson. « Tu parles français ? demande-t-elle. *You speak English ?*

— OK, la belle. Arrête tes simagrées. Français. Mais je n'ai pas envie de parler. »

Elle n'a pas compris le mot « simagrées », ne sait pas trop ce qu'il veut qu'elle arrête. Elle ne se laisse pourtant pas désarçonner. « T'es tout seul ? » demande-t-elle. Il hoche la tête. « Si tu veux, je peux te faire visiter, continue-t-elle.

— Ah ! Parce qu'il y a quelque chose à visiter ? »

La voix est rude, rauque, un homme qui doit beaucoup fumer. Une respiration sifflante au moment de l'orgasme, elle connaît ça, on dirait toujours qu'ils ne survivront pas. Mais ils survivent, et même que souvent, ils en redemandent — veulent en avoir pour leur argent. Après, ils allument encore une cigarette. Ils lui en offrent une et elle la prend. Et elle aussi, un jour, elle râlera comme eux — si elle se rend jusqu'à leur âge. Elle a beau prendre des précautions, les risques du sida sont toujours là. Pour ce qui est de la durée de vie, les filles dans son genre n'ont pas tellement d'espérance.

« Les plages, dit-elle, il y en a d'autres, moi, je les connais toutes. Les restaurants pour bien manger. » Il hausse les épaules. « *Lambi*, dit-elle. T'as déjà essayé ? Tu manges pas ça chez toi. C'est bon. » Le mot lui sonne une cloche. « De l'agneau ? » demande-t-il — tiens, il a l'air intéressé.

« Agneau ?

— Du mouton, si tu préfères. Bêê bêê. »

Elle rit. « Mais non. *Lambi*, ça vient de la mer. Un coquillage. Très bon. Si tu veux, je vais te montrer. *Lambis, langostas, cangrejos, camarones*, chantonne-t-elle. *A la plancha*, avec de l'ail, des *chiles*, tu dis juste comment tu aimes, *muy o poco picante*. Je sais où tu trouves les meilleurs à Cabarete. Si t'as faim maintenant, on peut y aller.

— Non. (Un non catégorique.)

— Alors, plus tard, si tu veux, dit-elle, conciliante. Ce soir. Tu dis juste à quelle heure. On se rencontre ici quand tu décides. »

Il avale la dernière gorgée de son *Cuba libre*, jette un billet sur le comptoir, se lève. « Tu t'en vas ? » demande-t-elle. Il hausse les épaules. Voilà, il va partir et elle n'en aura rien tiré. « Tu veux pas acheter des peintures ?

demande-t-elle en dernier ressort — les mots se bousculent
à présent dans sa bouche. Y a mon grand frère, Raúl, qui en
fait. Très belles, bien plus belles que les autres. Tu veux
voir ? C'est pas loin. Je peux t'amener. » Il fait une pause,
jette un coup d'œil sur le pied nu aux ongles écarlates — sur
le gros orteil gauche, le vernis mal appliqué déborde un
peu —, son regard monte le long des jambes, s'attarde une
seconde sur les genoux osseux. « Je n'ai pas faim, dit-il. Je
ne veux pas de peintures. Je veux baiser. Combien ? » Elle
est blessée. « *¿ Que te pasa ?* proteste-t-elle. *No soy una puta.*

    — Tiens, t'as oublié ton français ? »

    Elle descend du tabouret, tire sur sa jupe étroite, glisse
son pied dans la sandale. Debout, elle ne lui arrive pas à
l'épaule. Et plutôt fluette — lui, d'habitude, il est porté sur
les femmes bien en chair, et blondes, de belles grandes
blondes solides, figures de proue, Walkyries, qui rient aux
éclats quand on les chatouille. « OK », dit-il. Sa voix s'est un
peu radoucie. « Pas besoin de faire la tête. Amène-toi.

    — La tête ? »

    Elle ne comprend pas.

    « On va bouffer, poulette.

    — Poulette ?

    — On va manger. Et cesse de répéter comme un
perroquet. »

    Ils marchent côte à côte, il se sent ridicule — l'im-
pression d'escorter sa fille adolescente, s'il en avait une.
Ou, pire encore, d'être comme ces pervers séniles — il en
connaît — qui vont l'hiver en Thaïlande se payer des
frissons exotiques. Qu'est-ce qu'il lui a pris de dire qu'il
voulait baiser ? Il fait bien trop chaud. Il n'a aucune envie
de se retrouver au lit. Et encore moins avec ce paquet d'os.

    « Je ne suis pas *una puta*, répète-t-elle. Je suis guide
touristique. » Il ne répond pas. « C'est vrai, insiste-t-elle.

— Et moi, je suis le pape Jean-Paul III. »
Le pape ? Elle ne sourit pas, elle a l'air un peu choquée.
Le pape Jean-Paul III n'existe pas.
« Ce soir, demande-t-elle, tu veux danser ? Salsa ? » Il
secoue la tête. « Je ne suis pas venu pour ça. D'ailleurs, tu
perds ton temps, je ne sais pas danser.
— Je peux te montrer. Très facile avec moi. Tu suis mes
pas, c'est tout. Ou bien on danse la lambada. »
Il secoue la tête. « La lambada ! Et puis quoi encore ! Tu
veux rire de moi ? »

« T'es venu pour faire quoi ? Nager ? Surfer ? Plonger ?
Ou t'es venu juste pour le soleil ? Y en a pas chez toi. » Il
hausse les épaules. Rien de tout ça. En fait, pourquoi il est
venu, il ne le sait pas. Un coup de tête, l'envie soudaine de
s'envoler, d'aller voir de nouveaux paysages, lui, un
sédentaire endurci, qui d'habitude ne demande pas plus à
la vie que trois jours de chasse — un orignal quand il a de
la chance, un chevreuil quand il en a moins — dans le Nord
au début de l'automne. Il a acheté un billet de dernière
minute — un forfait pas trop cher comprenant l'avion, les
transferts, l'hébergement. Il a atterri ici à la fin de l'avant-
midi, un minibus attendait pour conduire à l'hôtel — Petit
Québec, tout un programme en perspective — le groupe
hilare, déjà passablement éméché, il a déposé sa valise sans
l'ouvrir, il est sorti. Et aussitôt qu'il a vu le genre de
l'endroit, l'ambiance cheap, les corps vautrés dans le sable,
les vendeurs de babioles — lunettes soleil, peintures
naïves, CD piratés —, les militaires armés jusqu'aux dents
à tous les dix pas, leur visage hermétiquement fermé, l'air
presque aussi patibulaire que les escrocs et tire-laine qu'ils
sont censés dissuader, aussitôt qu'il a respiré cette odeur
de noix de coco un peu écœurante, qu'il a senti la chaleur
et l'humidité l'écraser, il n'a plus eu qu'une envie :

reprendre l'avion, retourner dans l'hiver. L'hiver franc de Montréal, quand la tempête fait rage, deux pieds de neige sur le balcon, le trottoir comme une patinoire et lui qui sacre en pelletant l'entrée du garage. Même s'il sacre, ça ne veut pas dire qu'il n'aime pas ça. On pourrait même dire qu'il sacre parce qu'il aime sacrer. Son frère Boris le taquine toujours avec ça. « Salut, câlice, baptême. Crisse de tabarnac, t'as pas encore fini de pelleter l'hostie de neige, ciboire ? » En tout cas, c'est franc et c'est dur, c'est comme lui, l'hiver, ça lui ressemble. La mer aussi, pense-t-il, mais seulement quand elle est sauvage. En Gaspésie, par exemple, rébarbative, grise et glacée. Ou encore la mer Noire, qu'il n'a jamais vue, mais qui le fait depuis long-temps rêver parce qu'elle est noire. Pas cette plage surpeu-plée, pas ces palmiers de carte postale. Il est rentré à l'hôtel, s'est allongé sur le lit, tout habillé, il a essayé de dormir. Le sommeil n'était pas là. Il avait pris le *Journal de Montréal* dans l'avion, le visage d'un pédophile s'étalait à la une, il a essayé de lire l'article, puis la section des sports — la veille, il avait raté le match de hockey, les Canadiens jouaient contre Pittsburgh —, mais l'intérêt n'était pas là non plus, ni la concentration. D'ailleurs, Pittsburgh avait gagné, il n'avait pas besoin de lire le compte rendu pour savoir que le nouveau gardien était pourri. Le ventilateur au plafond déplaçait un air lourd et chaud, ses pales poussives fai-saient un vacarme d'enfer. Il avait l'impression d'étouffer — manquerait plus qu'il ait une crise d'asthme. Il n'est même pas sûr d'avoir apporté ses médicaments, et ça risque d'être du sport, justement, pour se faire comprendre dans une pharmacie — si toutefois il y en a une ici… Alors, il est ressorti, il est entré dans le premier bar au toit de chaume, un bar minable. *Mar azúl*. Il s'est dit que la semaine serait longue.

Elle continue son caquetage. « Manu, c'est mon cousin, il a un bateau, dit-elle. Si tu veux plonger, voir le corail. C'est beau. Des poissons de toutes les couleurs dans l'eau. Si t'en as pas, Manolo, il te prête les palmes, le tuba.

— Manolo, c'est qui, celui-là ?

— Manolo, c'est Manuel, mon cousin, on dit Manu ou Manolo. Il peut t'amener loin, Manu, voir les dauphins, des centaines, et même mille, des fois. Ils sautent autour du bateau, tu penses qu'ils dansent. Ou si tu veux pêcher, il fait ça aussi. Tu pars le matin, très tôt, avant que le soleil, il se lève. Manu, il te prête les cannes à pêche, toi, tu gardes le poisson. Après, si tu veux, au restaurant, pour toi, ils le font cuire. Pas cher. Je sais où. »

Mais il n'écoute pas. « C'est quoi ton nom, déjà ? Assomption ? Rédemption ? » demande-t-il. Au fond, il s'en fiche complètement. Il a dit ça pour détourner le torrent qui déferle sur lui — un moulin à paroles, cette petite, il ne s'entend plus penser. Elle rit. « Mais non. Pas Redempción, personne s'appelle comme ça. Concepción. Concha. » Il esquisse un sourire — le premier de la journée. « Comme la chanson de Charlebois. » Elle s'y attendait, on le lui a déjà dit, on le lui a même chanté — plus d'une fois. « En espagnol, concha, c'est coquillage.

— Coquillage ? Alors, moi, je vais t'appeler Coco », dit-il. Il est déjà moins taciturne. « Coco la pie.

— Lapi ?

— Pie. Un oiseau au plumage foncé dans ton genre, qui n'arrête pas de parler. »

Elle sourit. « Ah ! Un *pájaro*. Un oiseau qui parle ? » Ça lui convient, elle aime bien les oiseaux.

« Et toi, demande-t-elle, c'est quoi ?

— Fédor.

— Première fois que j'entends ça. C'est pas un nom québécois.

— Russe, dit-il.

— T'es russe ? »

Le visage de Concha s'illumine, allez savoir pourquoi. Comme s'il était venu exprès pour elle de l'autre bout du monde. « Mes parents, dit-il. Moi, je suis né au Canada. »

Le restaurant où elle l'amène s'appelle, lui, *El camarón alegre*. « Crevette joyeuse, dit-elle. Tu vas voir, très bon. » Son oncle Rafa est le patron, elle le lui présente, sa tante Matilda s'affaire à la cuisine derrière le rideau de bambou, ses cousins servent aux tables. L'un d'eux s'approche, lui donne un baiser sur la joue. « *¿ Que van a tomar ?* » demande-t-il. Elle traduit : « Qu'est-ce qu'on veut boire ? *Cuba libre* pour toi ? » Mais il veut une bière. « *Una cerveza, cariño*, dit-elle. *Y para mí, un coca cola con hielo.* »

Le menu arbore une crevette rose en bikini, sourire fendu jusqu'aux oreilles, coiffée d'un panama. Concha veut lui expliquer la composition des plats, mais il lui coupe la parole : « Ménage ta salive, Coco. Ces bestioles de la mer, c'est pas vraiment ma tasse de thé. » Elle prend un air éberlué. « Thé ? Tu veux du thé ? » Il sourit — l'intuition qu'elle avait se confirme, il a des dentiers, et, bizarrement, elle éprouve une sorte de pitié, comme une onde qui passe en frissonnant le long de sa colonne, qui monte de ses talons jusqu'au sommet de sa tête. Vingt-cinq, trente ans plus tôt, il devait être si beau, quand ses cheveux blonds lui arrivaient aux épaules, quand il avait toutes ses dents. « Je veux dire : ils servent de la viande ici ?

— *¿ Carne ?* Oui, *cariño*, tiens, regarde, *chuleta*, c'est du cochon. *A la plancha*, grillé, très bon. Ou bien *pollo*, poulet, *pechuga o muslo*, le ventre ou bien la jambe.

— Pour le poulet, c'est poitrine et cuisse qu'il faut dire, corrige-t-il.

— Oui, la cuisse. »

Elle dit couisse, le *ui* français est si difficile à prononcer, elle n'y arrive jamais. « Avec de la salade, du riz. Si tu veux des patates, je peux en demander. *Papas fritas.*

— Bon, ça va, dit-il. Du cochon, ce machin, *chuleta,* même si je ne sais pas ce que c'est, mais je le veux bien cuit. Et des frites. Laisse tomber la salade, je ne suis pas herbivore. Et commande ce que tu veux pour toi. Mais arrête de jacasser, Coco la pie, sinon, va t'asseoir à une autre table. Tu m'étourdis. »

Elle a compris — même le mot jacasser. Ou bien elle l'a deviné. Ils mangent en silence, lui sa côtelette, elle, ses crevettes. Avec son café, il allume une cigarette. Quand il la voit farfouiller dans son sac, en sortir des trucs hétéroclites — un miroir au dos nacré, une brosse à cheveux, un rouge à lèvres, des barrettes en plastique roses, jaunes, bleues — et déposer l'un après l'autre les objets sur la table, il lui tend son paquet de cigarettes et son briquet. « Maintenant, tu veux du rhum ? » propose-t-elle. Il secoue la tête. « Ils te donnent une commission, c'est ça ? » Elle ouvre des yeux ronds. « Une quoi ? » Il pense : ou bien elle fait semblant, ou bien elle est vraiment bouchée. Mais innocente, certainement pas. « Demande l'addition, dit-il. Je vais rentrer.

— Déjà ? »

Elle fait signe à son cousin. « Quique, *por favor, la cuenta.* » Le poisson n'a pas mordu, et elle, elle perd son temps depuis deux heures, elle est déçue.

« C'est parce que je te plais pas ? » demande-t-elle une fois qu'il a payé — il a laissé un pourboire convenable, heureusement. Ce n'est pas toujours le cas, et après, son oncle lui fait des reproches, comme si elle était responsable.

Elle semble mortifiée. « Tu penses que je suis pas assez belle ?

— Non, c'est pas ça, t'es un peu jeune à mon goût, mais bien mignonne. J'ai trop mangé, et là, j'ai juste envie de marcher. »

Elle s'anime. Tout n'est pas perdu. « On peut marcher ensemble. Moi aussi, j'aime ça, marcher. » Il hausse les épaules, l'air résigné. « T'es pas une pie, t'es un pot de colle. Coco pot de colle. » Elle n'a pas l'air de comprendre. Il se lève, elle aussi. Elle dit que bientôt, le soir va tomber, ils peuvent aller un peu plus loin sur la plage, regarder le soleil se coucher dans l'eau. Le soleil se coucher ? Bravo pour l'originalité. Il s'éloigne à grands pas, et elle, pour le suivre, doit pratiquement courir.

La plage se dépeuple, les touristes ramassent leurs affaires, ils se dirigent par petits groupes bavards vers leurs hôtels. Ils vont rentrer prendre une douche, se préparer pour une soirée effrénée, le genre de soirée qui se prolonge en nuit, en nuit qui s'achève avec l'aube, quand des couples improbables se sont formés et déformés. Concha veut marcher dans le sable. Elle retire ses sandales, il ôte ses gros souliers, ses chaussettes. Elle éclate de rire quand elle voit le trou à l'orteil. « Toi, t'as pas une femme », dit-elle. Il hausse les épaules — quand il en avait une, elle n'était pas du genre à passer ses soirées au coin du feu, raccommodant les bas.

Le sable est tiède sous leurs pieds. Elle veut marcher à la lisière des vagues, elle lui tend la main, mais il a peur de mouiller de bas de son pantalon — il n'en a mis qu'un autre, presque identique, dans sa valise —, il reste plus loin, il regarde la mer et regarde Concha, puis il s'assoit gauchement dans le sable. Il allume une autre cigarette. Elle revient.

« Tu fais quoi au Canada ? demande-t-elle.

— Taxi », répond-il, laconique. Puis : « Avec mon frère Boris. On a une petite compagnie, lui et moi.

— Ah ! ton frère. C'est drôle. Mon frère aussi, il fait... »

Il l'interrompt : « Dis donc, t'en as combien, des frères et des cousins ?

— Beaucoup de cousins, Ernesto, qui connaît tout, Manu, avec le bateau, Miguel, Arturo, Quique, qui travaille au restaurant...

— Ça va, pas besoin de m'énumérer toute ta parenté, dit-il.

— Mais un frère, j'en ai juste un. Le soir, il fait le taxi, le jour, la peinture. C'est lui, Raúl, le plus vieux de la famille. Moi, je suis la deuxième. Il y a encore quatre sœurs, deux qui travaillent dans les hôtels, et les plus petites, elles vont à l'école. Cinq filles en tout, mes parents, ils ont pas eu beaucoup de la chance... Puis, il y a le bébé.

— Le bébé ?

— Mon bébé, Paquito. *Mi hijo.* Un garçon. »

Un garçon, elle a dit ça sur un ton fier, en se rengorgeant — laissant entendre qu'elle a eu plus de chance que ses parents. « *Mama* le garde à la maison. Je veux dire, quand je travaille. » Fédor regarde les jambes et les bras maigres, les petits seins, comme deux demi-citrons sous le tee-shirt turquoise. « Tu m'as l'air bien jeune, dit-il, pour avoir un bébé. T'as quel âge, au fait ? Parce que je n'ai pas envie de me faire arrêter pour détournement de mineure. Je n'ai rien d'un pédophile.

— Demain, j'ai dix-neuf ans. Mais il faut pas que tu as peur. La police, ici, elle t'arrête pas pour ça. »

D'après moi, tu te vieillis d'au moins deux ans, pense-t-il. « Et ce bébé, il a un père ? » Elle hausse à son tour les épaules : tout le monde a un père, qu'est-ce que tu crois.

Après un instant, il demande : « En ce moment, avec moi, tu travailles ? » Cette fois, c'est elle qui ne répond pas.

Il répète la question — bizarrement, il aimerait qu'elle dise non. Le cœur serré l'espace d'un instant. « Si tu me payes, alors, oui, dit-elle, je travaille. » Le visage de Fédor s'est fermé. « Je ne te paye pas.

— Alors, je travaille pas. Ce soir, je suis en vacances. Comme toi. »

Elle s'allonge dans le sable. Il reste assis. Elle croise les bras derrière sa tête. « Parle de la Russie », dit-elle. Il sent comme une urgence dans sa voix, quelque chose qui, au fond d'elle, languit.

Il n'y est jamais allé, il ne sait pas quoi raconter, il ne connaît que le Canada, et encore. Elle a une jambe allongée, l'autre repliée. Dans la lumière qui baisse, elle lui rappelle une photo vue il y a très longtemps, une photo qu'il aimait, en noir et blanc, qu'il avait découpée dans un livre et collée à un mur de sa chambre. D'un photographe mexicain. On y voyait une fille couchée sur le sol, son visage de profil, seins nus, bras croisés derrière la tête, les yeux fermés. Une ombre semblait caresser légèrement sa poitrine. « Je ne suis jamais allé en Russie. Je te l'ai dit, ce sont mes parents qui sont nés là. Quand la révolution a éclaté, ils étaient encore des enfants.

— Ça fait rien. Je veux que tu racontes ce qu'ils racontaient, tes parents. Qu'est-ce qu'ils disaient sur la vie de l'ancien temps en Russie ? »

Il réfléchit. « Ils n'en parlaient pas.

— Je te crois pas. »

Saint-Pétersbourg — dans sa famille, ils ne s'étaient jamais faits à l'idée d'appeler Leningrad la ville de Pierre — sous la neige en hiver, les patineurs sur la Neva gelée, le soleil de minuit au solstice d'été, les confitures de griottes qu'on faisait cuire dans des bassines au début de l'automne.

En parlaient-ils vraiment? Ou c'est lui qui s'invente des souvenirs d'une Russie mythique? Il ne sait pas si on patine sur la Neva, mais il voit les patineurs, leurs arabesques, des jeunes filles aux joues roses, leurs bras enfouis dans des manchons de renard argenté. Et les canaux. La Palmyre du Nord, disait-on de Saint-Pétersbourg. Il ne sait pas où est Palmyre. Alors, il imagine Venise, une Venise sans gondoliers.

Sur un point, ses deux grands-pères étaient d'accord. À l'unisson, ils crachaient les mots « nihiliste », « rouge », « bolchevik ». « Volonté du peuple, crachaient-ils. Jamais le peuple n'a voulu ça. » Sa grand-mère lui récitait des bribes de poèmes du grand Pouchkine et d'autres auteurs dont il oublie les noms. *La lune rousse navigue dans la nuit blanche.* Il aurait voulu voir cette nuit, cette lune. « Ils me parlaient souvent d'un grand-oncle, dit-il enfin. Nicolas Savine, il s'appelait. »

Nicolas Savine, le personnage avait hanté ses fantasmes d'adolescence. L'ami intime d'un prince, joueur impénitent, grand amateur de femmes et de vodka. Fédor a même lu un livre, une fois, dans lequel on parlait de lui. *Trois mots le résumaient: le jeu, les dettes, les femmes.* Il avait atteint dans… Il ne sait plus quoi. La débauche, la luxure. Lui, il aurait voulu lui ressembler, être dans la peau de Nicolas Savine. Le soir, il aurait fait une entrée très remarquée au casino. Après avoir laissé son haut-de-forme et sa canne au vestiaire, il aurait sablé le champagne avec des blondes affriolantes couvertes de bijoux, des femmes on ne peut plus élégantes, aux lèvres rouges comme le feu, en robe longue noire au décolleté plongeant.

« Parle, insiste-t-elle. Tu dis jamais rien. » Il soupire. « Il y a eu une révolution, en Russie. Tu savais ça au moins?

— Je savais. Lénine, Anastasia, Staline, Poutine, récite-t-elle. Ernesto, il m'a tout raconté. Et puis, j'ai vu les films, chez nous, on a la télévision. Poutine.» Elle rit. «Dans ton pays, vous mangez ça.

— Ouais, on en mange, et t'as pas à ricaner comme ça, c'est bon, tu sauras, surtout gratinée. Au moins autant que vos lambis et tutti quanti.

— Excuse, dit-elle. C'est juste le nom qui me fait rire. J'aime pas quand t'es fâché.

— La poutine gratinée, surtout celle qu'Ali nous prépare au Bout du monde, poursuit-il rêveusement.

— Quoi?

— Laisse tomber.»

«Donc, à la révolution, reprend-il, ils sont tous partis, tous ceux qui ont pu, je veux dire, ils ont émigré en France, du moins la famille de mon père. À Paris, le grand-père gagnait sa vie en jouant du violon, déguisé en cosaque, dans un restaurant russe. Il n'était pas le seul et il n'y a pas de sot métier. Un de ses fils, mon oncle, l'aîné, était portier. Son frère faisait flamber les chachliks aux tables. Ma grand-mère brodait des napperons, décorait des œufs de Pâques. Ils étaient devenus folkloriques, et ils n'étaient pas les seuls… Puis, juste avant la guerre, la deuxième, ils ont senti la soupe chaude, ils sont venus au Canada, c'est là que mon père a rencontré ma mère. Ça te va comme ça?» Il est presque essoufflé.

«Alors, ta famille, elle était riche?

— Riche, peut-être, ceux d'avant. Ma famille… immédiate… Tu comprends ce mot-là? «

Elle comprend.

«Ma famille immédiate… mes parents ne l'étaient pas. Et personne ne m'a laissé de domaine en héritage là-bas.

— Parle de ta mère, demande-t-elle.

— Dis donc, c'est un interrogatoire ou quoi?»

Elle insiste. «Elle s'appelle comment, ta mère? J'aime ça savoir le nom des mères. La mienne, c'est Nieves, la

neige. C'est drôle, la neige, à Cabarete. Mais c'est parce que c'est un nom de la Vierge, *Nuestra Señora de las Nieves.*
— Notre-Dame-des-Neiges. Chez nous, c'est un cimetière. »
Concha fait vivement un signe de croix, prend un air horrifié. « Je ne veux pas que tu dis ça. Ça peut porter malheur à *mi mama.*
— Bon, excuse-moi... La mienne s'appelait Macha, Marie. Elle était plus jeune que lui, en fait, elle non plus n'a pas connu la Russie. C'est une façon de parler quand je dis qu'ils sont nés tous les deux là-bas. Elle est arrivée bébé au Canada. Mais elle parlait toujours russe avec ses parents. Moi, je suis né dans une petite ville du Manitoba.
— Macha, répète-t-elle, faisant rouler les syllabes dans sa bouche. Manitoba. J'aime ça, Macha, Manitoba. Parle de Nicolas Savine.
— Il a pas mal bourlingué, comme on dit.
— Bour...
— Il a roulé sa bosse, fait les quatre cents coups, quoi ! Gagné et perdu des tas d'argent, j'imagine. Puis il est mort sur la paille, à Hong Kong, dans un asile pour indigents. Dans les années trente, avant ma naissance. Je n'en sais pas plus long. Et maintenant, arrête avec tes questions. »

« Et tes parents, ils sont morts aussi ? demande Concha après quatre secondes et demie de silence.
— Depuis belle lurette.
— Lurette ? »
Il pousse un soupir excédé. « Longtemps. Ils sont morts depuis longtemps.
— Alors, toi, tu t'appelles Savine aussi ? »
Pas moyen de l'arrêter, cette fille.
« Fédor Savine ? insiste-t-elle.
— C'est ça. »

Elle tourne la tête sur le côté, le regarde. « Un beau nom, je trouve. Dis quelque chose en russe, Fédor Savine.
— Je ne parle pas russe.
— Même "je t'aime", tu ne sais pas comment le dire ?
— Même "je t'aime".
— En espagnol, c'est *te amo* », dit-elle.
Mais moi, Coco, *te amo* pas, est-il tenté d'ajouter.

Le soleil s'est couché, la lune apparaît maintenant dans le ciel bleu marine. Un peu plus loin, un air de salsa, un brouhaha joyeux qui résonne. Les vacanciers vont faire la fête. Il voit une chaise longue abandonnée, un vieux ballon aux couleurs passées qui roule puis s'arrête sur la ligne des vagues. La mer le repousse, il revient à la charge, elle le repousse, il revient — qu'est-ce qu'il cherche ? —, la mer et le ballon s'obstinent. Un jeu sans rime ni raison.

« Tout à l'heure, Fédor Savine, tu as dit : tu veux baiser », dit maintenant Concha.
Ah ! Nous y voilà. La petite sainte-nitouche se décide à annoncer ses couleurs. Il écrase son mégot dans le sable. « J'ai dit ça, moi ?
— Oui. Tu veux encore ? Tu as demandé : c'est combien. Si tu payes en dollars américains, c'est cinquante. Toute la nuit, quatre-vingts. En dollars canadiens, évidemment, c'est plus. Toi, t'es gentil, je peux te faire un prix. Mais pas la porno, juste les choses ordinaires. La porno, c'est plus cher, mais j'aime pas beaucoup ça. Puis, il faut mettre les condoms, sinon, c'est non. T'as des dollars américains, Fédor Savine ? »
Elle est toujours allongée sur le dos, un bras sous la nuque, comme la fille sur cette photo en noir et blanc qu'il avait collée au mur de sa chambre — il avait dix-huit ans, il rêvait encore au grand-oncle Nicolas, le joueur qui

hantait Monte-Carlo avec ses amis princes, nababs, bandits, une blonde à chaque bras, ondulant des hanches. Maintenant, ça lui revient. Toute l'image se déploie — il a l'impression de se retrouver dans sa chambre trente-cinq ans plus tôt. Il venait d'arriver à Montréal, il baragouinait à peine quelques mots de français. Après, bien sûr, il a connu Francine, l'a épousée, a appris le français avec elle — alors qu'il n'avait jamais parlé qu'en anglais avec sa mère. Bizarre, ces langues qu'on qualifie de maternelles. Le mariage a duré une quinzaine d'années et il parle désormais le français sans accent ou presque.

Il avait trouvé du travail dans les chantiers de construction, c'était l'été. La chambre était toute petite et la rue s'appelait à l'époque boulevard Dorchester. L'hôpital des enfants n'était pas loin, et le Forum, où les Canadiens gagnaient toutes les parties, dans le temps. Il avait collé la photo sur le mur à côté de son lit.

La fille — une brune comme Concha, mais moins gracile — avait les hanches, les pieds et les poignets bandés, comme si elle était blessée. Sa main gauche reposait sur son ventre. Ses poils pubiens noirs moussaient entre les bandages, et lui, ces poils le fascinaient. Il y avait quelques chardons près d'elle, sur le tapis rayé. Et la photo s'appelait *La bonne renommée endormie*. Drôle de titre. Endormie, d'accord, mais bonne renommée, pourquoi? Parce qu'elle dormait comme si de rien n'était, offrant innocemment son sexe aux regards des passants? La jambe droite de Concha est repliée, exactement comme celle du modèle de la photo, sa cheville droite est appuyée sur sa cuisse gauche. Il imagine une ombre lui caressant le sein. Le velours de la touffe — devant la photo, à dix-huit ans, il en salivait, comme un chien devant l'os interdit. Noire et moite. Le pelage d'une petite bête sauvage de la forêt, suisse ou tamia, trempé de pluie, qui palpite sous ses doigts. Et l'intérieur, fleurant la mer. Il en rêvait. Un coquillage, une conque. Concha.

Le rêve n'est pas ici, il le sait, ni le rêve ni l'amour. Le rêve, c'était à dix-huit ans devant la photo d'une fille paisible allongée dans la lumière du soleil. Ici, c'est autre chose, la bonne vieille réalité. Il est temps de passer aux choses sérieuses, pense-t-il. La transaction.

Il tend la main vers le genou osseux. « N'essaie pas de m'arnaquer, Coco. J'ai déjà payé pour tes crevettes, dit-il. Alors ce sera quarante, pas une cenne de plus. Quarante canadiens. Et puis, tu feras ce que je te demande. Je me contenterai d'une heure. Toute la nuit avec toi, ce serait pas mal trop long. »

Un silence, puis : « Non, dit-elle. C'est non. »

8

Au bord d'une route secondaire, la fin du jour

... tirant sur la corde au bout de son piquet, une chèvre très maigre...
... ses seins menus se dessinent, les mamelons pointent sous le coton délavé du débardeur turquoise.
... elle n'a jamais volé. C'est-à-dire presque jamais, et peu de chose, en somme...

Elle marche au bord de la route, à la sortie de Saint Petersburg, Floride, silhouette filiforme, en jean bleu, débardeur turquoise, pieds nus dans des gougounes, un sac sur l'épaule gauche — la courroie posée sur l'éphémère papillon tatoué au henné. Il ne pèse pas lourd, ce sac. Il faut dire qu'elle est partie en catastrophe, elle n'avait rien planifié. C'est quand elle est passée devant la chambre de ses parents tout à l'heure. La porte était ouverte et, dans un éclair, elle a vu sur la commode le portefeuille de son père. Lui, il était allé jouer au golf, il en avait au moins pour le reste de l'après-midi à essayer de faire entrer des balles dans des trous — un sport de snobs —, et à rater son coup — il est tellement nul. Sa mère, dans la cuisine, calculait la quantité de vitamines requise par ses enfants et pressait des oranges, ses frères s'empiffraient de tartines au Nutella. Impunité garantie. L'impulsion a été trop forte, elle n'a pas pu résister.

Elle est entrée sur la pointe des pieds. Son cœur qui battait à se rompre, on l'aurait dit sur le point de bondir hors de sa cage. Elle n'avait jamais rien volé. C'est-à-dire presque jamais, du moins, pas trop souvent, et peu de chose, en somme, du chocolat au dépanneur quand elle était petite, un tube de brillant à lèvres — *Crystal Baby* — chez Jean Coutu, quelques CD chez Renaud-Bray — Loco Locass, Ozone (pour une chanson qu'elle adore), Manu Chao, Thomas Fersen (cette fois pour deux chansons complètement dingues, celle qui raconte les amours d'une chauve-souris et d'un para-pluie, une autre qui parle d'une fille aux cheveux mayon-naise), et Daphné, bien sûr, pour *Ailes brisées*, qu'elle connaît par cœur). Évidemment, elle ne les avait pas tous volés le même jour, et jamais dans le même Renaud-Bray. Elle avait échelonné ses larcins et ne s'était jamais fait prendre. Quand sa mère étonnée lui posait des questions, elle répondait: «C'est Mélissa, ou Stéphi, qui me l'a donné.» Maintenant, bien sûr, elle n'a plus besoin de voler des CD. Elle télécharge ses chansons préférées sur Internet et c'est bien plus simple, même s'il paraît qu'on est malhonnête quand on fait ça.

Les valises avaient été ouvertes — des tee-shirts en deux piles distinctes sur le lit, les plus grands, blancs ou noirs unis, les plus petits, dans toute une gamme de couleurs pastel, une robe soleil de sa mère, la bleue avec des marguerites, sur le dos d'une chaise. Dans la fenêtre, un gros insecte, taon ou guêpe, bourdonnait. Pendant quelques secondes, elle est restée là, paralysée devant la commode, et son reflet dans le miroir la regardait en se mordant les lèvres. Un portefeuille en cuir noir rempli de billets verts bien sagement couchés dans leur berceau, bien à l'abri, rempli de cartes de crédit, or, argent, platine, sous leur protection de plastique. Un portefeuille posé là — oublié? —, incongru au milieu des flacons d'ambre solaire et de baume après-soleil. Un clin d'œil du destin, sûrement. Courage, lui a chuchoté son reflet. Puis : grouille, dépêche-toi. Du courage, elle en avait, mais là. Son reflet a insisté : quand on n'entendra plus le bruit du presse-agrumes, ça voudra dire qu'il est trop tard.

Tout s'est alors passé très vite. Son reflet et elle ont avancé la main en même temps, sans même regarder ce qu'elle prenait. Sa mère a crié : «Fanny!» Le cœur de Fanny s'est arrêté de battre, son sang s'est figé dans ses veines — allait-elle s'écrouler là, foudroyée? Puis : «Ton verre de jus d'orange est prêt.» Les battements — cognements — ont repris, le sang s'est remis à circuler, lentement d'abord, puis de plus en plus vite, comme poursuivi par... Par quoi? La police? Elle s'est enfermée dans la salle de bains sans répondre. Elle avait chaud, elle était en nage. Une crampe lui a vrillé le ventre. Ses règles déjà? Il paraît qu'elles peuvent se déclencher avant leur temps quand on est angoissée. Et angoissée, à ce moment-là, elle l'était. Ce cœur, ce cœur, que faire pour qu'il se tranquillise, que les battements désordonnés retrouvent un rythme normal? Elle s'est passé de l'eau froide dans le visage.

Deux billets de cent, quatre de vingt. Elle a tout de suite compris que c'était trop. Il lui faudrait au moins remettre les cents à leur place — dans leur berceau de cuir sur la commode —, oui, mais comment? La route était bloquée, voilà qu'elle entendait sa mère, dans la chambre, qui remuait des cintres, ouvrait et refermait des tiroirs. Balthazar tambourinait à la porte des toilettes. Oui, comment faire ? D'ailleurs, avait-elle seulement envie de le rendre, cet argent tombé du ciel, son cadeau de Noël ? Non, vraiment pas. N'empêche que, une somme pareille, presque trois cents dollars, sa disparition ne passerait pas inaperçue, il n'y avait aucune chance. Et si elle décidait de garder les billets, où les planquer ? Dans l'appartement trop exigu de ses grands-parents — deux chambres pour cinq personnes, vraiment ! —, où ils allaient passer ces douze aberrants jours de vacances en famille, elle était obligée de partager une chambre avec les garçons, curieux comme des belettes tous les deux — même à Montréal, elle les avait plus d'une fois surpris à fouiller dans ses affaires.

Elle est sortie en maillot de bain, les dollars pliés dans son poing moite. « Ton jus », a répété sa mère depuis la chambre. Elle lui tournait le dos, heureusement, sinon elle aurait bien vu l'air coupable — joues en feu, regard fuyant —, aurait interrompu ses activités, se serait approchée avec sa mine d'inquisitrice vigilante, lui aurait fait ouvrir la main en pensant qu'elle cachait Dieu savait quoi. De la drogue, sûrement — le cauchemar de tous les bons parents. « Oui, oui, t'inquiète pas, je vais le boire, a répondu Fanny en prenant ce ton excédé qui excède les siens. Je veux juste me préparer pour descendre à la piscine, je peux ? » Sa mère a levé les yeux au plafond en soupirant, elle en aurait juré.

Balthazar dans la salle de bains, Jonathan devant la télévision — un dessin animé débile en anglais —, sa mère qui rangeait dans l'autre pièce. Il fallait profiter sans attendre de leur inattention, pas une seconde à perdre. Le cœur battant toujours aussi frénétiquement, elle a mis l'argent dans une poche de son jean avec sa carte d'assurance-maladie, puis le jean dans son grand sac de plage, avec son débardeur turquoise, le vieux, tout délavé, sous lequel sa poitrine menue se dessine et que sa mère a failli transformer en chiffon à épousseter, un sweat-shirt au cas où, le brillant à lèvres volé chez Jean Coutu, une boîte de tampons, un livre. À la cuisine, elle a bu son jus d'orange — « C'est fait, là, maman, je suis pleine de vitamines, t'es contente ? » Elle en a profité pour prendre deux barres tendres, une bouteille d'eau dans le frigo. Elle est retournée dans la chambre chercher son discman et l'étui — on y voit un oiseau stylisé qui tombe en chute libre au-dessus des mots « Ailes brisées » — contenant ses CD préférés, puis elle est descendue avec ses frères à la piscine. Dans l'ascenseur, ils n'ont pas arrêté de se bousculer — elle aurait dû prendre l'escalier. Une fois en bas, elle leur a dit : « Écoutez, vous deux, je n'ai pas envie de me baigner, c'est clair ? Je vous demande juste une chose : ne pas me déranger. Et n'oubliez pas que maman vous regarde. » Ils lui ont tiré la langue en mettant leurs flotteurs. De vrais bébés, vraiment. Elle s'est installée sur une serviette à l'écart, elle a mis ses écouteurs, elle a ouvert son livre, *Lolita*. Elle était au chapitre où Humbert Humbert, vieux dégoûtant lubrique qui bave devant une fille de son âge, inscrit Lolita à des cours de tennis.

Elle devait prendre une décision. Et vite. La disparition de l'argent allait sans doute être constatée le soir même, et alors là... Ils passeraient la maison au peigne fin, on n'y échapperait pas. Où, dans un appartement de quatre pièces, quatre toutes petites pièces, pouvait-elle cacher deux cent quatre-vingts dollars américains volés ? Sous son matelas ? Trop prévisible, ils allaient commencer ou finir par là. Au fond de la boîte à café ? Risqué — ils en buvaient des quantités industrielles, ils auraient vidé la boîte avant qu'elle ait eu le temps de dépenser le premier vingt. Dans un livre ? Oui, un des livres de sa mère. L'espace d'un instant, elle a joué avec l'idée. La tête qu'ils feraient. Puis elle a renoncé. Sa mère dirait qu'il ne fallait pas ajouter l'insulte à... Elle ne savait plus quoi. Elle a passé en revue tous les endroits possibles, le vase de fleurs artificielles sur la table du salon, l'album de sa grand-mère — elle les dissimulerait derrière cette photo ridicule, elle, bébé, couchée sur une serviette, fesses à l'air et sourire édenté, qu'elle a toujours eu envie de déchirer —, le coffre à outils de son grand-père, la crèche en plastique sous le sapin... Aucune cachette ne lui a paru assez sûre. Elle allait se faire pincer — et quelle humiliation. Son père la priverait de tout ce qu'il pouvait encore la priver. Qu'est-ce qu'il restait maintenant qu'il l'avait obligée à renoncer à ces deux jours de ski avec Stéphi, au party de fin d'année chez Corinne? Les cadeaux de Noël? Pour ce qu'elle en avait à faire de leurs cadeaux, on ne lui donnait jamais ce qu'elle voulait! Il lui interdirait la plage? la piscine? Non, pas question d'affronter ses vociférations, le regard éperdu de sa mère, les ricanements bébêtes des deux garçons. *¿ Que hora son mi corazon?* hurlait Manu Chao dans ses oreilles. L'heure de mettre les voiles. Point final. D'ailleurs, elle le savait depuis le moment où elle était sortie de la salle de bains tout à l'heure, l'argent dans son poing. Elle n'avait pas préparé son sac pour rien.

Bon, sa mère lisait sur la terrasse, Nat et Babar — il déteste quand on l'appelle comme ça — jouaient aux cartes et, pour une fois, ils ne se chamaillaient pas. C'était le moment ou jamais. Le soleil baissait, son père devait être sur le point de rentrer et, tel qu'elle le connaissait, il voudrait sûrement nager quelques longueurs avant d'aller souper. Elle a mis le discman et l'étui dans son sac, s'est levée discrètement. La voie était libre, personne ne faisait attention à elle. Elle est allée s'habiller dans les toilettes à l'entrée de la piscine. Pas un chat là non plus, c'était vraiment son jour de chance. Et elle avait eu raison de ne pas se baigner, son maillot était sec — dans sa hâte, elle avait oublié de prendre des sous-vêtements. Deux minutes plus tard, elle était sur le trottoir devant l'immeuble, se demandant de quel côté se diriger. Elle s'est rappelé qu'en arrivant ils étaient passés devant un Seven Eleven. À gauche, donc. Après ça, elle trouverait bien des panneaux lui indiquant la sortie de la ville.

Et la voilà au bord de la route, silhouette filiforme, jean bleu, débardeur turquoise. Les autos filent à toute vitesse. Alors quoi, maintenant ? Ce qui est urgent, c'est de s'éloigner le plus possible de la ville — ils vont se mettre à sa recherche, c'est évident. Ils ont peut-être même déjà appelé la police. Elle doit faire de l'auto-stop, pas d'autre solution possible. Et avec son anglais déficient, expliquer… Expliquer quoi ? Qu'elle s'est sauvée après avoir volé l'argent de son père ? *I run away, my father is mad, I rob her money.* Elle a peur tout à coup que ce soit un petit couple trop bien intentionné qui s'arrête et qu'on lui pose des questions auxquelles elle ne saura pas répondre. *A little girl like you, how come ? Do your parents know that, sweetie ? By the way, where are they ?* Elle répondrait : *I don't understand, I don't know. I am not a little girl, I have sixteen years. OK, fifteen. Fourteen.* Ou qu'elle se retrouve coincée au milieu d'une famille, papa, maman, leurs sacs d'épicerie, leur marmaille. Ou, pire encore, assise, prisonnière, dans l'auto d'un maniaque, un prédateur sexuel, les portières verrouillées — aux États-Unis, ils passent leur temps à arrêter des tueurs en série. On en entend parler aux nouvelles, ils agressent les gens, les violent avec toutes sortes d'instruments puis ils les découpent en morceaux, même que parfois, comble de l'épouvante, ils les font cuire, les mangent. Souvent, c'est parce qu'ils sont allés à la guerre, ça les a rendus fous, ils ont vu ou commis trop d'atrocités. Tout compte fait, l'auto-stop n'est pas une si bonne idée que ça. Il vaut mieux marcher, au premier restaurant, elle s'arrêtera, prendra le temps de réfléchir.

Elle a mal aux pieds à force de marcher dans ses gougounes. La peau arrachée entre les orteils. Des baskets auraient indiscutablement été plus confortables. Encore une chose à laquelle elle n'a pas pensé. Pour se donner du courage, elle fredonne cette chanson de Daphné qu'elle adore. *L'oiseau sous la pluie, regarde-le voler, regarde-le tomber, ailes brisées.* Elle reconnaît, au loin, le « M » rouge d'un McDonald's. Elle presse le pas malgré ses ampoules. Elle se dit que, tout compte fait, elle préfère ça au poulet du colonel — puisque c'est là qu'ils devaient aller souper en famille. Encore une fois, ce n'était pas son choix, elle leur a répété au moins cent fois qu'elle est végétarienne. Quand est-ce que c'est son choix ? D'ailleurs, poulet, mon œil. Tout le monde dit que ce sont des corneilles.

Au comptoir, elle commande une frite (petite), un milk-shake au chocolat (grand format). *Five dollars forty seven*, nasille le préposé, cheveux blond filasse, visage boutonneux, en lui tendant son plateau. Elle paie avec un billet de vingt qu'il vérifie — elle a envie de dire: espèce d'abruti, *the money is good*, je l'ai piqué à mon père, mais elle préfère ne pas attirer l'attention sur elle. Elle prend la monnaie et va s'asseoir à une table près de la vitre. Elle farfouille dans son sac. Zut, elle a oublié son livre à la piscine, elle est partie trop vite. Elle en était au chapitre où Lolita vient d'échapper à Humbert Humbert, l'affreux pédophile, et lui, comme fou, la cherche partout. Lolita avait à peu près son âge. Elle aussi, elle s'est enfuie — mais toutes deux, comment pouvaient-elles faire autrement? Et dans le cas de Lolita, qu'est-ce qui arrive après? Humbert Humbert la retrouve-t-il? S'il la retrouve, qu'est-ce qu'il lui fait? Il l'enferme? Il la ligote? la viole une fois de plus? la torture? la tue? Fanny voudrait savoir comment l'histoire finit.

Elle déchire deux sachets de ketchup, maquille ses frites en rouge, aspire avec la paille rose une grande gorgée de son milk-shake au chocolat. L'important, pense-t-elle, c'est de savoir où je suis maintenant. J'ai dû marcher — elle consulte sa montre, sept heures moins dix —, j'ai dû marcher à peu près deux heures, même pas. Je ne suis pas rendue très loin, c'est sûr. D'un bon pas, avec de bons souliers sur un terrain plat ou presque, on parcourt quatre kilomètres à l'heure, alors moi, en gougounes, avec mes ampoules, j'ai marché pas mal moins vite que ça. Et j'ai perdu du temps à chercher des indications. Cinq kilomètres, donc, six au maximum. Et je ne sais pas à quelle distance se trouve la prochaine ville, ni comment elle s'appelle. J'aurais dû acheter une carte, au Seven Eleven, sûrement qu'ils en avaient. Il va falloir demander au boutonneux. *Where we are? What is the name, here?*

En même temps, sept heures moins dix, c'est tard. La nuit va bientôt venir. Fanny essaie d'avaler une frite — qui ne passe pas.

Bon, la nuit va venir, et alors? Elle vient toujours et je n'en suis pas morte. Il faut juste trouver un endroit où la passer. Un terminus d'autobus, ce serait la meilleure idée. Ils restent ouverts vingt-quatre heures sur vingt-quatre, du moins à Montréal c'est comme ça. On est aux États, alors raison de plus. Ou mieux encore, un autobus, un autobus qui roule la nuit sur l'autoroute. Au matin, je serais loin. En prendre un qui franchit la frontière. Est-ce que les doua-niers nous demandent nos papiers d'identité? Ma carte d'assurance-maladie, l'ai-je apportée ? Le cœur de nouveau qui s'emballe. Puis elle la sent dans la poche de son jean. Elle pousse un soupir de soulagement. Et s'ils exigent un passeport, qu'est-ce qu'elle fait ? Le sien est resté avec les billets d'avion dans le sac de voyage de sa mère. Mais non, elle s'en fait pour rien, elle n'a pas l'air d'une terroriste, ils ne vont pas l'arrêter. Une fois là-bas, elle n'aura qu'à appeler Mélissa ou Stéphi, raconter que ses parents ont finalement changé d'idée, qu'ils sont allés sans elle en Floride, n'importe quoi.

Ou bien un café Internet, il doit bien y en avoir aux États-Unis puisque ce sont eux qui ont inventé Internet et tout ça. Elle enverrait un message à ses amies. En fin de compte, elle dirait la vérité. Elle connaît par cœur l'adresse de courriel de Stéphi, stefolly@hotmail.com — elles l'ont inventée ensemble. Ça les a bien fait rire, cette sainte folie. Elle expliquerait son problème sur MSN, elles trouveraient une solution avec Corinne, Mélissa et les autres. Une fois à la frontière, elle serait en sécurité. Quelqu'un pourrait venir la chercher, la cacher. Son oncle Jon, peut-être, la plupart du temps, elle se sent bien avec lui, il a l'air de la comprendre. À dix-sept ans, il était pas mal perturbé, il faisait partie d'un groupe, un genre de secte, elle ne sait pas exactement, il s'est ouvert les veines, c'est sa sœur, la mère de Fanny, qui l'a trouvé à la dernière minute, l'a sauvé de justesse. Il ne la laisserait pas tomber. En même temps, elle n'est pas sûre d'avoir confiance. Au téléphone, il dirait, oui, oui, Fanny, ne bouge pas, j'arrive tout de suite, ma chouette, et dès qu'il aurait raccroché, il n'aurait peut-être rien de plus pressé que d'avertir ses parents. Et c'est la police qu'elle verrait arriver. Sa mère répète que dans le doute, on s'abstient. Elle n'appellera pas l'oncle Jon. Le frère de Mélissa a son permis de conduire, c'est Mélissa qu'elle va appeler. Il faut juste trouver ce terminus, *please, where is the bus station ?* — et là, peut-être qu'ils ont Internet —, acheter un billet, puis une fois dans l'autobus, s'asseoir près d'une fenêtre, s'emmitoufler dans son sweatshirt et regarder se dérouler l'écheveau de la nuit.

Quand elle avait six ou sept ans, sa mère lui avait lu une histoire, *La chèvre de monsieur Séguin*. Une chèvre bien traitée, cajolée, qui mangeait tous les jours à sa faim, mais qui avait préféré la liberté. Ce soir, elle se souvient de cette histoire. Elle revoit, comme elle la voyait à six, sept ans, la petite chèvre — ses jolies cornes, ses longs poils blancs soyeux, sa barbichette —, attachée au piquet et qui tirait, tirait sur la corde. De tout son cœur, elle aussi tirait avec elle. Sauve-toi, criait-elle, sauve-toi, chèvre. Sa mère haussait les sourcils. « Mais non, disait-elle, non, Fanny, tu n'as pas compris. La chèvre est en danger. Le loup l'attend dans la forêt pour la manger. » « Elle a des dents, des sabots, des cornes, protestait Fanny, elle va se défendre. » Sa mère passait la main dans ses cheveux, l'embrassait sur le front. « Ses petites cornes contre les dents du loup ! » Fanny fermait les yeux. L'odeur de sa mère s'attardait un peu dans la chambre, une odeur de fleurs, qu'elle aimait — l'odeur du chèvrefeuille, lui avait dit sa mère, et, pour Fanny, le mot « chèvre » dans le nom de la fleur rendait ce parfum encore plus irrésistible, presque magique. Elle entendait sa mère dire « Bonne nuit, mon ange », s'éloigner, refermer doucement la porte. Derrière ses paupières, la chèvre de monsieur Séguin s'éloignait, elle aussi, joyeuse elle gambadait dans le chemin parfumé, une fleur entre les dents.

Derrière la vitre, le soir s'installe, la noirceur accapare peu à peu l'espace. Les autos qui filent sur la route sont comme des animaux pressés, zèbres, girafes, lions, chevaux, loups, leurs yeux blancs, leurs yeux rouges ouverts percent la nuit.

La joue dans la paume, Fanny repense à cette histoire. Et elle se dit, comme elle se disait alors, quand elle avait six, sept ans, que si elle avait été une chèvre, elle aussi aurait tiré sur sa corde, aurait fini par la casser. Au risque de se faire dévorer par le loup. D'ailleurs, elle a toujours envié le Petit Chaperon rouge, dans le conte, elle, c'était le loup qu'elle aimait. Elle aurait refusé de passer sa vie attachée à un piquet. Elle aussi préfère la liberté.

Ses frites sont à présent froides, immangeables, surmontées d'une couche de ketchup figé. Elle repousse le contenant de carton rouge et jaune, boit une gorgée de milk-shake. Assis à une table en biais, un homme en noir, la jeune trentaine, barbe de trois jours, sirote un thé glacé. Les yeux mi-clos, l'air de rien, il observe Fanny.

9

À Vancouver, Lola la nuit

... dans le port de Vancouver, on ne
voit jamais le matin...
« Courage », lui a chuchoté son reflet.

D ans l'original, c'est Southampton, bien sûr. Le port, la
brume, les cargos amarrés évoquant d'énormes bêtes
enchaînées, la lune qui frissonne sur l'eau noire, et elle,
Lola, la belle Irlandaise à l'imper qui erre la nuit sur les
docks. Images inoubliables, en noir et blanc. Contre-
plongées vertigineuses, cadrages insolites, si audacieux à
l'époque, une époque où les effets spéciaux n'étaient pas
encore devenus la norme au cinéma, saisissants jeux
d'ombre et de lumière. Une maîtrise absolue du montage
— aux cinéphiles, tant de beauté tire les larmes. Cette scène
où Lola affolée court dans un labyrinthe de ruelles, elle
veut avertir du danger l'homme qu'elle aime, elle balbutie
son nom, elle le cherche partout et ne le trouve pas, la
caméra semble la poursuivre — le spectateur croit courir
lui aussi derrière elle et s'essouffle, Lola, Lola, arrête-toi. À
un moment, caméra et spectateur butent au fond d'un cul-
de-sac, on ne voit plus Lola, mais on entend encore le bruit

de ses talons se répercuter, le bruit va decrescendo sur les pavés mouillés. La caméra tangue, vacille, à une fenêtre, une lumière s'allume, une ombre se profile derrière d'épais rideaux, et toujours ces talons qui claquent à contretemps dans le lointain. L'un d'eux doit se prendre dans une fissure, il se casse, on le devine, ou plutôt on le sait car il y a un arrêt, puis après quelques secondes le bruit reprend, mais c'est celui d'un boitillement, désolé, angoissant, à la limite du supportable pour celui qui l'entend — la malheureuse doit maintenant courir maladroitement, comme une infirme, un soulier dans les mains. Une trouvaille sonore, vraiment, Robert Elkis avait indiscutablement des éclairs de génie. Et soudain, ce son déchirant : l'appel d'une corne de brume, un navire perdu en mer, perdu comme Lola, et qui fait entendre son ululement de détresse. En vain. Le cœur tout chaviré, le spectateur dans son fauteuil en a la chair de poule. Un nuage passe devant la lune. Et puis, cette autre scène où Lola (rôle tenu par Marjorie Martinez, la comédienne légendaire de la fin des années quarante et du début des années cinquante, née à Madrid d'une mère danoise et d'un père espagnol, élevée à Belfast quand ils avaient dû fuir la guerre civile dans leur pays, morte à Beverly Hills après avoir, comme cette Lola qui avait fait d'elle une icône entre toutes, avalé tous les cachets d'une bouteille de somnifères) vient supplier Bromsky d'épargner l'homme qu'elle a trahi, la pluie martèle la fenêtre dans son dos, on voit les gouttes couler sur la vitre en s'avalant l'une l'autre et on entend sans la voir Lola sangloter. Et cette autre encore, ah oui, la scène finale, l'apothéose, celle dont on s'est servi pour créer l'affiche que les collectionneurs aujourd'hui s'arrachent, la scène où, au fond du désespoir, Lola écrit avec son rouge à lèvres dans le miroir. *Forgive me* — Marjorie Martinez, avant de mourir, à vingt-huit ans, a elle aussi écrit ces mots, en espagnol, *perdoname*, dans son miroir avec son rouge à lèvres. Et la musique obsédante d'Ernesto Liri.

Oui, en 1949, Robert Elkis, précurseur, magicien, enchanteur, a réalisé un pur chef-d'œuvre avec cette mélodramatique histoire qui, entre les mains d'un cinéaste médiocre, n'aurait été qu'un film de série B comme les autres qu'on passe à la télé de temps en temps, en fin de soirée, et que regardent les insomniaques, hypocondriaques et autres tourmentés qui tuent ainsi les heures jusqu'à l'aube.

Pour le scénario, il s'est inspiré d'un obscur polar pondu par un auteur tout aussi obscur qui aurait autrement sombré dans l'oubliette. Qui a sombré, d'ailleurs, n'en doutons pas — ses restes doivent à présent fermenter tout au fond avec ceux de quelques autres écrivaillons sans génie dans son genre, ces tâcherons de la littérature. Il en faut, paraît-il. Car comment reconnaîtrions-nous le bon grain s'il n'y avait pas l'ivraie ? Celui-là s'appelait Francis Lafargue. Un Français. Ou un Belge ? Qu'importe. Sans le film, on ne saurait même plus qu'il a existé. Son nom subsiste néanmoins, écrit en lettres minuscules dans la filmographie de Bob Elkis. « Adapté d'*Embrouille à Southampton*, roman de Francis Lafargue (Paris, Éditions de la Mandragore, 1946) ». De lui, on ne sait rien de plus. Totalement exclu des dictionnaires — une absence qui n'a en fin de compte rien d'étonnant. Nicholas a même cherché sur Internet des sites qui donneraient des renseignements sur lui. À part cette mention dans ceux, une bonne centaine, qui établissent la filmographie d'Elkis, néant. C'est à se demander comment un réalisateur d'un tel calibre a pu lire ce livre insignifiant.

C'est-à-dire, façon de parler. Ses biographes — Max Toussaint, Flora Laurenberg, entre autres — soulignent le goût immodéré d'Elkis pour les romans dits de gare. Il en lisait parfois jusqu'à dix par semaine. La nuit, surtout. Il souffrait d'insomnie. On en voyait toujours un qui sortait de la poche de sa vieille veste de tweed élimée. Du genre *Une pépée mal barrée, L'espionne du bout du monde, Le croque-mort prend le taxi*. Et celui-là, tiens, *Permettez-moi de vous couper la tête* — un titre pareil, il avait ri aux larmes. *Permettez-moi de vous couper la tête*, si ça n'existait pas, s'esclaffait-il, il faudrait l'inventer. Et pourquoi pas un coussin de satin sur le billot ? Brandissant son exemplaire en loques, Elkis jurait d'acheter les droits du titre et de tourner un jour une comédie hilarante, l'histoire d'un bourreau courtois.

Dans ces livres, il puisait des idées. Il aimait dire que, à leur façon indéniablement simpliste, ces histoires contenaient pourtant tous les grands thèmes, qu'elles constituaient une sorte de catalogue des tares humaines. Des tabous, des phobies, des folies, et des espoirs aussi. Très instructif. Révélateur. C'est toujours Œdipe, disait-il, c'est Phèdre, Médée, Antigone, Ulysse, Hélène, Sisyphe, Pénélope. Toujours les mêmes passions, amour, désir, lucre et jalousie, qui se répètent depuis les textes fondateurs, toujours la trahison et la loyauté qui s'affrontent, l'éternelle dichotomie. L'être humain n'a pas évolué — heureusement ou hélas. Relisez vos classiques, relisez l'*Iliade* et l'*Odyssée*, insistait-il quand on le taquinait sur sa marotte, vous verrez que l'immortel Homère n'a pas écrit autre chose. Ses interlocuteurs hochaient la tête — mais, si la plupart connaissaient la guerre de Troie, ceux qui avaient lu Homère étaient rarissimes.

En tout cas, il l'a lue, lui, cette embrouille insipide. Il s'en est même inspiré. Mais il a tout changé. Il n'a pour ainsi dire gardé que Southampton, la trahison involontaire, la conclusion macabre, les noms des principaux protagonistes, Bromsky, Stephen, Lola. Il a recréé Lola. Et l'on ne peut s'empêcher de penser à ce que Bizet a fait de l'héroïne un peu terne de Mérimée, de se demander si, sans Bizet, elle aurait été la Carmen qu'on connaît. Il l'a haussée au rang de mythe, comme Bob Elkis l'a fait avec la mièvre Lola de Lafargue.

Au squelette de l'intrigue, Elkis a ajouté sa propre chair. Un réseau d'artères et de veines dans lequel il a fait circuler son propre sang. Et il en est sorti cette œuvre magistrale, *Broken Wings*. Car c'est le titre qu'il a donné à son film — *Embrouille à Southampton* aurait été trop trivial. Imagine-t-on un chef-d'œuvre portant un titre semblable?

Broken Wings, son dernier film, son chant du cygne — les ailes brisées du cygne, pathétique, ironique allégorie. Quand il en a entrepris le tournage, Bob Elkis souffrait déjà du cancer qui allait bientôt — trop tôt — l'emporter. Le martyre, comme on le lit dans ses biographies. Cancer des poumons, l'un des plus douloureux, dit-on — lui qui n'avait jamais fumé, quelle injustice. Quarante-huit ans. Obligé de s'arrêter parfois au milieu d'une scène, de quitter le plateau pour aller, le visage ruisselant d'une sueur malsaine, s'isoler vingt minutes dans sa roulotte. Toute l'équipe de tournage l'entendait tousser, des quintes qui n'en finissaient plus, et retenait son souffle. Se rendrait-il au bout de son projet, vivrait-il assez longtemps pour voir naître l'enfant? Quand il revenait, il demandait toujours aux autres de l'excuser, *Well, kids, I'm sorry for this. Let's go on, now. No time to lose.* Il parvenait même à sourire. Crève-cœur, ce sourire, au dire des témoins. Les derniers jours, son médecin restait à ses côtés, lui faisait une piqûre de mor-phine quand la douleur devenait insupportable. Dans le film, cela se sent. La souffrance, le désespoir. L'inéluctable dénouement. Tout est là. Et tout fait encore aussi mal.

Nicholas lève les yeux vers l'affiche, qu'il a fait laminer et qu'il a accrochée, toute seule sur le mur, devant la table de travail dans son bureau. L'artiste a dessiné Marjorie de dos, jupe noire étroite, chemisier blanc, debout devant son reflet qui la contemple, le regard vide. Sa main levée tient le tube de rouge à lèvres. Noir et blanc avec juste cette touche de couleur, les derniers mots écrits en rouge dans le miroir.

Le scénario est à présent terminé. Nicholas y a consacré trois ans de travail acharné. Il l'a recommencé au moins vingt fois. Que dis-je, vingt fois? Trente, quarante, plutôt, ou même cinquante, il ne les a pas comptées. Jamais satisfait. Le plus souvent découragé par l'ampleur de la tâche. C'est vrai qu'il avait placé la barre haute : un remake de *Broken Wings*. Rien de moins. Ses amis le traitaient de présomptueux, puis, devant sa détermination, ils le mettaient en garde : « Nick, attention, tu vas te casser les reins dans l'aventure. » Un chef-d'œuvre comme celui-là, un « film-culte », comme ils disent, on ne peut pas, on ne doit pas tenter de le refaire. On ne pourra faire mieux et les comparaisons seront toujours au désavantage de l'émule. Est-ce qu'on améliore *Citizen Kane*? *Les enfants du paradis*? *Le cuirassier Potemkine*? Non. Il répondait : « Je cours ce risque. » Ou bien : « J'ai les reins solides, ne vous inquiétez pas pour moi. » « Et puis, ne vous méprenez pas, je ne cherche pas à améliorer le film d'Elkis, je n'ai pas tant de vanité. » Il concluait : « Mais il faut que je le fasse. Je n'ai pas le choix. » Une obsession, littéralement.

Mais ce n'est pas vraiment un remake. Si, au départ, il s'agissait simplement de rendre hommage à Bob Elkis, son idée s'est toutefois raffinée — n'est-ce pas toujours le cas? — au fil des réécritures, et il a compris dans quelle direction il devait aller : il fallait sortir du cadre — comme dans ce problème où l'on doit réunir trois points contenus dans un rectangle, ou un cercle, peu importe, sans soulever son crayon —, il fallait donc sortir du cadre de la réalité et créer une fiction dans laquelle se mêleraient réalité et fiction, justement. C'était la seule façon. Elkis aurait été d'accord — c'est, en fin de compte, ce qu'il a lui-même fait dans son film.

Nicholas a donc lu et relu *Embrouille à Southampton* — les marges de son exemplaire, une vieille édition de poche en français dénichée chez un libraire d'occasion, sont pleines d'annotations —, il a vu *Broken Wings* au moins deux cents fois, l'a décortiqué et redécortiqué, en a analysé chaque plan, chaque image, chaque réplique, chaque silence au point qu'il a l'impression de connaître le film plus que son créateur lui-même ne le connaissait. Pour finir, il a lu tout ce qu'il a pu trouver sur Bob Elkis et Marjorie Martinez. Leur idylle tragique — elle, vingt-deux ans, lui, quarante-huit, marié et mari fidèle, père de cinq enfants, déjà presque à l'agonie au moment de leur rencontre. Toutes les biographies — « hagiographies », en fait, la plupart du temps — relatent le choc de ce premier contact entre les deux étoiles, lui à son zénith, elle montante. Marjorie n'a pas passé d'audition : Bob Elkis l'avait vue dans *Nuit blanche à la frontière*, un film sans beaucoup d'envergure, mais il avait été frappé par la fragilité que l'actrice insufflait au personnage — elle jouait le rôle de Jenny Jordan, une danseuse de revue un peu paumée qui, à la fin, se refait une virginité comme on dit pour épouser un pasteur presbytérien. Après ça, il l'a voulue et n'a voulu qu'elle pour incarner Lola. Il lui a donné rendez-vous au bar du Nevsky Hotel, dans Ocean Drive, à quatre heures un vendredi après-midi. Et elle qui avait lu le scénario est arrivée vêtue d'un imperméable beige, ses longs cheveux châtains coiffés avec une raie sur le côté. En imperméable,

même s'il faisait ce jour-là trente-deux à l'ombre. Elle est
entrée en boitillant — il manquait le talon à un de ses
souliers. Elle tenait un rouge à lèvres à la main. Dire qu'il a
été conquis serait un euphémisme.

Entre les deux, la complicité a été immédiate. Ils ont
discuté jusqu'à très tard dans la nuit. C'est elle, paraît-il,
qui lui a suggéré le nom d'Ernesto Liri pour la musique. Il
avait prévu quelqu'un d'autre, un musicien aux sonorités
plus jazzées avec qui il avait coutume de travailler. Mais
elle a insisté, et elle a eu raison — Liri a remporté trois prix
internationaux prestigieux, dont l'Oscar de la meilleure
musique originale. Depuis, et sans jamais montrer aucun
signe d'essoufflement, d'usure, sa composition tourne sur
les ondes des radios du monde entier. Elle a été interprétée
par quelques orchestres symphoniques, par des formations
de jazz qui aiment improviser à partir de la ligne mélo-
dique, on l'a arrangée — défigurée? — en tango, en valse,
en rock, en salsa, un groupe rap scandinave l'a scandée, les
mariachis la roucoulent aux terrasses des restaurants, les
passagers des ascenseurs en entendent pendant leur court
trajet quelques mesures d'une version édulcorée. Une
chanteuse punk française a repris, et traduit, la chanson-
thème du film — sur des paroles de Bob Elkis lui-même :
*Here I am, oh baby, hear me sighing, broken heart. Bird in the
rain, now just see me falling, broken wings* — et connaît
aujourd'hui un succès foudroyant. Et Liri a gagné une
fortune quand certaines compagnies ont utilisé sa musique
pour leur publicité — notamment une marque de whisky
irlandais single malt et un parfum français sophistiqué. À
présent très âgé — il a presque quatre-vingt-seize ans —,
Liri vit retiré dans une villa au bord de la mer Noire. Et,
grâce à ses droits d'auteur, il vit toujours fastueusement
même s'il ne compose plus depuis la nuit des temps.

Dans le film de Nicholas, cette scène, la rencontre au
Nevsky, sera capitale : l'axe, la poutre maîtresse soutenant
l'édifice. Et il en a inventé une dans laquelle, quelques
heures plus tard dans une chambre du même hôtel, Elkis
écrit *I love you* dans le miroir avec le rouge à lèvres de
Marjorie. Mais l'a-t-il inventée ? Si les livres n'en parlent
pas — il semble même que, contre toute attente, Bob et
Marjorie n'auraient pas été amants —, Nicholas est pourtant convaincu que, dans la réalité, les choses ne se sont pas
passées autrement. La fiction, c'est connu, ne parvient que
rarement à dépasser la réalité. Ce qui est sûr, c'est qu'après
la mort du cinéaste — quinze jours à peine avant la sortie
du film sur les écrans —, Marjorie a sombré dans une
dépression profonde. Alcool, drogue, la panoplie habi-
tuelle. Connue d'habitude et respectée pour son profes-
sionnalisme, voilà qu'elle arrivait sur le plateau avec des
heures de retard — quand elle arrivait —, qu'elle n'avait
pas appris ses répliques, se mettait dans des états épouvantables — hurlait, insultait tout le monde, sinon s'effon-
drait, en pleurs, inconsolable — à la moindre remarque.
Les producteurs s'arrachaient les cheveux, la maquilleuse,
le coiffeur, l'habilleuse marchaient sur des œufs. On a
finalement dû se résoudre à la faire hospitaliser dans une
maison de repos. À la cérémonie de remise des Oscars
— elle était sortie pour l'occasion —, elle avait perdu dix
kilos. L'ombre d'elle-même, et pourtant si émouvante dans
sa robe noire à manches longues, col montant, sans bijou et
sans maquillage, ses cheveux — toujours cette raie sur le
côté — tombant simplement sur ses épaules, une mèche lui
cachant la moitié du visage. Et si pâle, presque diaphane,
on aurait dit Ophélie à Elseneur avant son suicide. Quand
le nom d'Elkis a été prononcé, l'orchestre a entonné les
premières mesures de la chanson-thème et Marjorie s'est
avancée dans l'allée d'une démarche de somnambule, elle

a murmuré *Thank you* en acceptant en son nom le trophée remis à titre posthume — meilleur film de l'année. Ses lèvres tremblaient. *Bob was such a great...* a-t-elle commencé à dire. *A great artist...* Un instant — interminable — de silence. *A great...* puis elle a fondu en larmes en prononçant le mot *man*. La salle a réagi par un tonnerre d'applaudissements. Une autre scène clé du film de Nicholas.

Ils n'ont pas été amants et ça, Nicholas le respecte. Ils ne le seront pas non plus dans son film qui ne compte, faut-il le préciser, aucune scène explicitement érotique, malgré les pressions exercées, subtilement ou non, par la production. Comme Elkis, il a tenu son bout. Elkis était un homme de principes, un homme pour qui le mariage était sacré. Il n'avait jamais trompé Denise, sa femme depuis presque vingt-cinq ans, la mère de ses enfants, et il ne l'aurait pas fait surtout maintenant qu'il savait sa fin proche. La trahison — Lola, même involontairement, trahit Stephen — est le thème central de *Broken Wings*. Si Nicholas a senti le besoin d'écrire la scène dans la chambre du Nevsky, c'est pour montrer combien pourtant la tentation a été forte. Ils sont l'un en face de l'autre, elle prête à se donner, lui, à la prendre. Mais il tend la main vers le rouge à lèvres qu'elle a posé sur la commode et, sur le miroir, il écrit ces mots, *I love you*. C'est déjà une trahison, ils en ont tous les deux conscience. Mais il n'ira pas plus loin. Il sort de la chambre.

Ou *I love you, Lola* ? À présent qu'il y pense, Nicholas se dit que *I love you, Lola* serait peut-être plus juste. En vérité, c'était le personnage de Lola que Bob Elkis était tenté d'aimer. Le personnage fragile, fantasque, qu'il avait créé et que Marjorie, en imper et claudiquant dans son soulier cassé, incarnait avec tant de grâce. D'intensité. Oui, se dit Nicholas, c'est mieux comme ça, c'est plus troublant. Ainsi, la trahison est double et, d'une certaine façon, réciproque. Car Marjorie est trahie, elle aussi. Elle n'est pas l'objet du désir, de l'amour, elle le sait, ce n'est pas à elle que les mots dans le miroir s'adressent. Un aspect qui avait jusqu'ici échappé à Nicholas et qui expliquerait pourquoi elle a, pendant le tournage, eu cette aventure avec Liri — marié, lui aussi, mais manifestement moins fidèle. Max Toussaint, dans sa biographie irréprochablement documentée, suggère que la déception, la douleur qu'en a éprouvé Robert Elkis auraient accéléré sa fin. *Perdoname, forgive me…* Oui, tout s'explique, les pièces s'emboîtent merveilleusement. Nicholas fait défiler le texte sur l'écran de son ordinateur, trouve la scène, ajoute à *I love you* le mot « Lola ».

Lui aussi, il a déniché sa Lola. Coïncidence — une coïncidence qui lui portera certainement chance —, elle s'appelle aussi Marjorie, Marjorie Dubois. Son vrai prénom est Marjolaine. Il semble que, pour la scène, elle ait hésité entre Marjo — ses parents l'appellent comme ça — et Marjie — là, c'étaient ses amis, à l'école. Elle a finalement opéré une sorte de fusion entre les deux et choisi Marjorie, pour le plus grand bonheur de Nicholas. Et, alors qu'elle s'appelle en réalité Brisebois, elle a opté pour Dubois, comme l'inoubliable Blanche de Tennessee Williams. Au delà des espérances de Nicholas, ce nom.

Comme Elkis, il a su en la voyant — une publicité de Nutella — que c'était elle. La même chevelure châtaine, souple, lustrée — on a envie d'y enfouir son visage, de se laisser enivrer par le parfum de fleur que l'on devine —, les yeux étroits, d'un gris nacré rappelant Ostende — ou Southampton, ou Vancouver — un matin embrumé quand ciel et mer se confondent. Et sa voix. Shéhérazade devait avoir une voix comme celle-là. *I can't resist*, susurrait-elle en regardant fixement la caméra, du chocolat aux commis-

sures des lèvres. *Please, give me more.* Innocence et sensua-
lité mêlées. Son accent indéfinissable. Née à Bagdad d'une
mère irlandaise — l'Irlande, une autre coïncidence —, d'un
père québécois francophone, tous deux coopérants au
Moyen-Orient, élevée à Vancouver où ils se sont installés
au début des années quatre-vingt-dix quand la situation
dans le Golfe s'est détériorée. Oui, son accent a conservé
des traces de cette hérédité mixte, un fond de *Mille et une
nuits*, et c'est tant mieux — même si évoquer Bagdad, ville
en ruine, est désormais consternant. Mais Lola l'Irlandaise
espagnole est devenue une Canadienne parlant anglais
avec un très léger, presque imperceptible, accent français.

Tous ces liens, toutes ces similitudes enchantent
Nicholas. Son film sera une réussite, c'est écrit, ça ne peut
être autrement. Tous les ingrédients sont là, le gâteau va
lever, et les prix qui vont déferler lui feront un glaçage.

Dans l'original, c'était bien sûr Southampton. Dans son
film à lui, ce sera Vancouver. Indispensable, une ville canadienne, pour obtenir les subsides de Téléfilm Canada. Son
titre : *Lola la nuit*. Il n'a pas été facile de convaincre les producteurs — on préférait *Lola in the Night*, on trouvait le son
ui imprononçable en anglais —, mais, encore une fois, il a
su défendre son point de vue. Il aime cette succession de *l*,
lo la la, une sonorité mouillée rappelant la pluie. Et il aime
que ce soit en français.

Ce sera donc Vancouver. Une ville qui, d'ailleurs,
convient parfaitement. Le port, la pluie, la brume sont là. Il
a prévu filmer les Rocheuses dressées à l'horizon, qu'il
aime comparer à d'énormes bêtes enchaînées. Les bateaux
arrivent souvent d'Extrême-Orient. Nicholas a remplacé le
vol de banque de l'intrigue initiale — un million en lingots
d'or — par l'importation d'un chargement important

d'héroïne — cinquante millions, cette fois, la drogue cachée dans une cargaison de farine de riz en provenance de Chine. Bromsky sera en relation avec les triades chinoises, et Stephen, un agent de la GRC infiltré dans un gang international de narcotrafiquants. Pour Nicholas, c'est primordial — un autre lien: à la fin, Marjorie Martinez était héroïnomane. Ses fans l'ignoraient — les cures de désintoxication de l'actrice adulée étaient tenues ultrasecrètes. Et son agent veillait à ce qu'elle soit impeccable — verres fumés, robes et chandails à manches longues pour camoufler ses bras odieusement marqués — quand elle paraissait en public. Le reste du temps... Un enfer, comme on dit.

Il regarde l'heure — dans le coin supérieur droit de son ordinateur portable. Vingt et une heures cinquante-deux. Bon, il est presque temps. Il a rendez-vous avec Marjorie au bar du Sylvia Hotel, dans English Bay, à dix heures et demie. Il pleut, ou plutôt il pleuvine, comme souvent à Vancouver, surtout l'hiver. Elle portera peut-être un imper. Nicholas est presque tenté de l'espérer, même si c'est ridicule, il le sait. Il éteint l'ordinateur en se traitant de mythomane, d'adolescent attardé.

Il pourrait prendre la voiture. Il préfère marcher — une bonne demi-heure jusqu'au Sylvia Hotel. Le soir, les rues sont d'habitude très calmes. Dehors, il ouvre son parapluie. Né au Manitoba dans la plaine ponctuée de silos, il a eu six ans plus tôt le coup de foudre pour Vancouver, son paysage de mer et de montagnes, ses vieux quartiers, Gastown, Coquitlam, Chinatown, et leur histoire. Il aime la tranquillité de ses rues, la sérénité de ses nuits. Il aime même sa pluie. Il marche parfois jusqu'à l'aube, longeant le Pacifique — ici presque apprivoisé —, il repère des sites dans le noir. Cette maison de la rue Alberta, par exemple.

La lumière s'allumera à une fenêtre à l'étage, l'ombre de Bromsky apparaîtra, juste un instant, derrière les rideaux blancs. L'hôtel de la rencontre sera, bien entendu, le Sylvia. Et Lola-Marjorie se suicidera dans la chambre même où Bob-Stephen a écrit *I love you* avec son rouge à lèvres. Nicholas est particulièrement fier de cette scène. Dans son film, Lola n'avale pas des barbituriques. Elle s'injecte une dose mortelle d'héroïne. Debout devant le miroir, jupe noire étroite, chemisier blanc, l'aiguille à la main. Un très long moment — plan fixe —, elle reste immobile, comme incapable de prendre la décision. Puis, son reflet lui chuchote : « Courage, Lola. » En français. C'est toute l'enfance qui remonte à la surface. Comme Marjorie Martinez quand elle a écrit ce mot en espagnol, *Perdoname*. Elle relève lentement la manche de son chemisier, enfonce l'aiguille dans son avant-bras. Les visages des deux Marjorie — ou des deux Lola — se confondent dans le miroir. Black-out. Le film s'achève comme ça. Oui, Nicholas est très fier de sa trouvaille, le reflet qui s'adresse à l'actrice muette — une sorte de clin d'œil à Cocteau —, la dernière image, la boucle se refermant.

La question de la musique est pratiquement réglée. Le groupe Netchaev — cinq musiciens qui se qualifient d'anarchistes — ont complètement renouvelé la trame sonore ringarde de *Broken Wings*. Leurs arrangements sont… anarchistes, justement. *L'art de la fugue* en version techno accompagne la course éperdue de Lola dans le port de Vancouver. La chanson-thème est chantée en chinois, a cappella, par un matelot sur le cargo.

Il arrive le premier — comme Bob Elkis —, s'assoit au bar, commande un Blue Moon martini — gin, zestes de citron, curaçao bleu. Il a presque fini de le boire quand elle entre, quinze minutes après lui — en retard. Jean moulant fuchsia, col roulé noir, longue bottes, veste de cuir orange à franges. Teints d'une espèce de rouge violacé, ses cheveux striés de mèches bleutées sont attachés en queue de cheval. Elle secoue son parapluie imprimé d'oursons multicolores.

« Ce n'est pas toi », a-t-il envie de dire. De crier. « Tu n'es pas Marjorie. Tu n'es pas Lola. »

C'est-à-dire que c'est sa première impulsion. Presque aussitôt, des idées germent pourtant dans son esprit. Quelques détails à changer dans le scénario. Ce geste, par exemple, quand elle secoue son parapluie, il aime bien. La naïveté des oursons — ingénue et fantaisiste, cette Lola, moins coincée que l'originale, en fait. Comme il aime son regard de myope quand elle cherche à le repérer dans la pénombre. Très touchant. Il lève le bras pour lui faire signe. Un sourire éclaire le visage de Marjorie. Il aime bien ce sourire — la Lola d'Elkis ne souriait pas. Elle s'avance vers lui.

10

Au fond de l'oubliette, un moment ou un autre de l'éternité

Un homme, col roulé noir, barbe de trois jours…
… un auteur tout aussi obscur qui aurait autrement sombré dans l'oubliette…

L e jour se lève. Non, il ne se lève pas. Ici, rien ne se lève. Rien ne se lève et rien ne tombe. Ni le jour ni la nuit. Ni le soleil, ni la lune, ni les étoiles. Il n'y a pas de jour, il n'y a pas de nuit. Pas de soleil, pas de lune, pas d'étoiles dans le ciel. Il n'y a pas de ciel. C'est toujours pareil. C'est triste à mourir. Mais on est déjà mort.

C'est l'oubliette.

Comment décrire un tel endroit couleur de glace ? Le néant, la nullité s'y reflètent. Car c'est un vacuum, conçu tout entier pour l'oubli, un raffinement de cruauté pour les présomptueux de ce monde. D'étranges lueurs vacillent çà et là — j'allais dire dans les angles. Mais il n'y a pas d'angles. Tout est informe et mou. Dans le sol spongieux, le pied s'enfonce. La main glisse sur les parois, sans jamais trouver prise.

Des êtres — sont-ils humains ? — déambulent, soli-
taires, et chacun de leurs pas fait un flic ou un flac dans la
glaise. Ah ! que l'éternité est lente ! Ces promeneurs mo-
roses ressemblent aux prisonniers qu'on imagine faisant
leur ronde sous la pluie dans la cour de la geôle. Ils
tournent dans le sens des aiguilles de l'horloge, puis ils
tournent dans le sens contraire. D'autres restent prostrés
— ce sont les silhouettes les plus déprimantes à regarder,
semblables à des paquets de linge grisâtre, d'algues au
matin sur une grève hostile, rejetées par la marée, et sur
lesquelles s'agglutinent de grosses mouches violacées.
Certains préféreraient la folie. Cet état serait leur refuge, ils
pourraient au moins vociférer, se débattre. Ou glousser en
agitant leurs bras repliés, comme des oiseaux de basse-
cour agitent leurs ailes inutiles. Mais la folie n'a pas sa
place ici. La lucidité s'impose, elle est le châtiment.

Des chuintements, chuchotements, borborygmes et
bourdonnements meublent constamment le silence. Un
invisible robinet goutte quelque part, un volet frappe un
mur en cadence. Une voix sortie d'on ne sait où — un haut-
parleur ? — fait à intervalles réguliers entendre quelques
mots en latin, toujours les mêmes sons répétés, *vanitas
vanitatis*, on dirait. À part ces bruits, aucune musique
n'entre. Aucun rire, aucun pleur, aucun cri.

L'oubliette, oui, le lieu des oubliés qui, eux, se rap-
pellent à jamais qu'ils sont oubliés. Ils ont l'éternité pour
ruminer. Qui, leur déception, qui, leur vengeance. En vain.
C'est comme si, pathétiques Pénélopes, ils défaisaient le
tricot pour voir à quel endroit la maille a filé, et la reprendre. On ne la reprend pas.

Justement, en voici un qui a l'air, si c'est possible, encore plus aigri que les autres. Col roulé noir, barbe poivre
et sel de trois jours sur ses joues creuses, efflanqué, le dos

voûté. Tel qu'il était la nuit de son arrivée. Une fois ici, on ne change plus. Les jeunes — plus rares, mais il y en a — restent jeunes, les vieux — la majorité — restent vieux. À vue de nez, celui-ci doit approcher la soixantaine. Il déambule en faisant de grands gestes, en marmonnant on ne sait trop quoi. « Maudit voleur », je crois. À moins que ce soit « Enfant de salaud, ordure, j'aurai ta peau ». Quoi qu'il en soit, il marmonne des injures.

Francis Lafargue, puisque c'est de lui qu'il s'agit — au fait, est-ce un nom de plume ? Mystère. Mais, non, sûrement pas. Il aurait choisi une sonorité plus glamoureuse, probablement à consonance anglaise, Farguson, Fargman ou même Fargo, Frank ou Francis Fargo —, se morfond ici depuis… on ne saurait dire depuis quand. Lui-même a commencé à perdre la notion du temps. Francis Lafargue… En est-il seulement un pour qui, de plume ou non, ce nom — naguère bon vendeur, pourtant, un nom qui a fait les beaux jours de ses éditeurs — évoque encore quelque chose ? La mémoire du monde est hélas bien ingrate. Il est néanmoins possible qu'une antique bibliothécaire, chenue et torturée par l'arthrite, n'ait pas oublié l'époque révolue où elle estampillait la carte du lecteur et l'insérait dans la pochette des romans de Francis Lafargue quand elle officiait au grand comptoir d'acajou — cela se passait, on s'en doute, bien avant l'avènement de l'ordinateur. Sinon, c'est l'employée du kiosque à journaux d'une gare qui se rappelle en avoir vendu à la tonne dans le temps. Ou encore un professeur de cinéma à la retraite, vieux bonhomme à la barbe clairsemée et jaunie, se souvient peut-être d'avoir glissé son nom dans un cours sur le cinéma noir de l'après-guerre. Possible, peut-être, mais de moins en moins probable, avouons-le. Si le film brille dans les mémoires, l'auteur du livre qui l'a inspiré, ils l'ont tous oublié. Ainsi va la vie. N'en attendons aucune justice.

Voyons voir quand même depuis combien de temps
l'infortuné se morfond... C'est vers la fin des années
soixante qu'il a passé l'arme à gauche, mais dans un
anonymat quasi total. Il me semble que seule une revue
consacrée au cinéma d'art et d'essai — au tirage symbo-
lique — ait mentionné l'événement dans un entrefilet.
Autant dire que dans la tête des gens, Francis Lafargue
était déjà mort et enterré depuis longtemps. Il traîne donc
ici depuis une quarantaine de nos années.

Francis Lafargue est ou était — dans l'éternité, présent et
passé se confondent, seul l'avenir est absent — un auteur de
polars. Bon an mal an, il en pondait un dans lequel s'affron-
taient des truands et des flics plus méchants que nature. Sa
production était peut-être inégale — bien que certaines
langues de vipères aient insinué le contraire, c'est-à-dire
qu'elle était uniformément mauvaise —, mais, au fond, que
lui importait ? Ni ses éditeurs ni ses lecteurs n'étaient bien
regardants. Dans la mesure où l'intrigue tenait plus ou
moins debout, ils n'en demandaient pas davantage. Ils le
lisaient dans le métro, dans leur baignoire, dans leur lit, puis
ils éteignaient la lumière et s'endormaient, heureux d'être là
plutôt qu'enchaînés dans une cave grouillant d'insectes
voraces, ou gisant au fond d'une rivière, grignotés par les
poissons, les deux pieds dans un bloc de ciment. Un ou
deux ans plus tard, ils reprenaient le même livre et ne s'en
souvenaient même pas. Distraire, n'est-ce pas aussi un des
buts de la littérature ? Pour les puristes, les romans policiers
forment peut-être, avec la science-fiction, une classe à part
qu'ils qualifient hautainement de paralittérature, mais ces
propos laissaient Francis Lafargue de glace. Paralittéraires
ou non, Jules Verne et Agatha Christie ne sont-ils pas parmi
les auteurs les plus lus ? rétorquait-il en ricanant. Les puristes ne sont, la plupart du temps, que des jaloux. Francis

Lafargue ne se prenait pas pour un autre. Il n'était pas invité dans les cénacles, n'avait jamais remporté aucun prix Fémino ou Mascula, et s'en fichait éperdument. Il n'en avait rien à faire. Il gagnait de l'argent — et pourquoi n'en aurait-il pas gagné?

Meurtres sanglants, tortures, tourments, rien de tout cela ne lui était étranger. Il découpait allègrement ses personnages en rondelles, leur faisait brûler à petit feu la plante des pieds dans un four à bois — inspiré par un supplice que les conquistadors espagnols infligeaient jadis aux Indiens récalcitrants —, les pendait — toujours par les pieds, une sorte de fixation — au lustre du salon, leur faisait avaler des concoctions innommables qui provoquaient une longue agonie de convulsions, les noyait dans la baignoire, les défigurait avec des jets d'acide sulfurique, les coulait dans le béton, les donnait en pâture aux crocodiles, aux ours, aux boas constrictors, aux piranhas. Il débordait d'imagination pour trucider son monde. Le divin marquis — qui n'est pas dans l'oubliette, lui, même s'il écrivait comme un pied — n'aurait dans ce domaine rien eu à lui envier. Pourtant, sa Justine et ses infortunes, tu parles si on s'en fout. Une oie pareille, elle ne méritait pas mieux que de finir aux marrons, à Noël.

Autrement, Lafargue menait une vie débonnaire dans sa maison au bord de la rivière. Ses malheurs, si l'on peut les appeler ainsi, ont commencé vers la fin des années quarante. Car lui qui n'avait jamais attendu la gloire — aucun de ses lecteurs ne connaissait même son visage — s'est mis à l'espérer. Que dis-je, l'espérer. Y croire, plutôt. Il s'est mis à y croire, à la vouloir.

Pourquoi ce changement radical d'attitude? Il était pourtant satisfait de son sort, il travaillait assidûment et aimait son métier. La gloire, vraiment! Qu'est-ce qui lui a pris? Oui, c'est à ce moment-là que ses ennuis ont commencé.

Voici en quelques mots ce qui s'est passé à la fin des années quarante : les huiles de la First Line Entertainment Company ont acheté — pour une misère — les droits d'*Embrouille à Southampton*. Ils se sont bien gardés de le dire tout de suite aux éditeurs, ces rapaces ne voulaient pas payer trop cher, mais la vérité, c'est que Robert Elkis en personne était intéressé à faire un film à partir de son livre. Quand il l'a appris, notre malheureux auteur en a perdu le sommeil — et presque l'inspiration. Il ne pensait plus qu'à ça, aux portes d'Hollywood qui allaient s'ouvrir toutes grandes devant lui. Des visions du saint des saints se mirent à miroiter jour et nuit dans son esprit. Il se voyait y faisant gravement son entrée, suivi par les regards admiratifs de la foule médusée. Parce que, évidemment, on lui demanderait de collaborer au scénario. La traversée en première classe jusqu'à l'Eldorado — il se voyait sur le pont du paquebot, humant l'air du large, un whisky *on the rocks* dans une main, un havane dans l'autre, le soir assis à la table du capitaine à deviser joyeusement. La meute des journalistes au débarcadère, le crépitement des appareils photo, des entrevues à la pelle, et lui qui ne saurait plus où donner de la tête. Et après ça, les cocktails, les réceptions dans les palaces, les stars neurasthéniques qui lui tomberaient dans les bras comme des fruits mûrs. Il n'aurait qu'à les déguster l'une et l'autre, à tour de rôle. Il se voyait, en smoking, un œillet rouge à la boutonnière, à la main un verre de vin à la robe rubis. Ou de champagne. De porto fin. « Encore un peu de caviar, cher ami ? » « *More whisky, old chap ?* » Il se voyait sur la terrasse de sa villa en marbre de Carrare, allongé dans un transat, contemplant l'océan Pacifique à travers ses verres fumés. Il siégerait au sein de comités distingués, présiderait des jurys, donnerait son avis sur ceci et cela, appellerait les plus grands par leur prénom. Ou même par leur surnom. Chuck, Sashmo, Bob, Ernie. C'était ce qu'il croyait.

Les choses ne se sont pas passées comme ça. Non, les portes du saint des saints ne se sont pas ouvertes. Bob Elkis ne lui a rien demandé. Pire encore, sans même le consulter, ce plagiaire, usurpateur, pillard, naufrageur, cet escroc a complètement défiguré son livre. Quand il a finalement vu le film — dans une salle de cinéma, comme un simple quidam, on n'a même pas daigné l'inviter à la première —, Lafargue n'a pour ainsi dire rien reconnu. Et ça, il ne le pardonne pas au cinéaste. Pour ajouter l'insulte à l'outrage, quand d'augustes spécialistes — de parfaits crétins, si vous voulez son avis — mentionnaient en passant son bouquin dans leurs critiques, c'était pour dire combien Elkis l'avait amélioré. Amélioré ! Il se souvient du commentaire d'un de ces pédants dans les *Cahiers du cinéma* : « C'est à se demander comment un réalisateur d'un tel calibre a pu lire ce livre insignifiant. » Une brûlure, oui, une brûlure qui ne guérit pas. Il se croirait en enfer plutôt que dans cette oubliette de malheur. En vérité, Lafargue n'aura pas assez de l'éternité pour mitonner sa vengeance.

Au début, dans l'oubliette, il a bien cherché à engager la conversation avec les ombres qu'il croisait. Autant faire contre mauvaise fortune bon cœur, a-t-il pensé en débarquant. Sur terre, il avait été un solitaire, et même un ermite, à la fin, mais l'ambiance de ce lieu où il avait dégringolé un soir de décembre — un 21, pour être exact, et il faisait un froid de canard — était loin d'être jojo et il s'est dit qu'il ne serait pas mauvais de s'y faire quelques relations. Le temps paraîtrait peut-être moins long. Mais ils étaient tous absorbés par leur propre déconfiture et personne n'avait l'air de reconnaître personne. « Lafargue ? Francis Lafargue ? » Ils secouaient la tête. « Connais pas. Désolé. » De vrais zombies. Autant parler tout seul.

Sauf qu'une fois une espèce de grande perche, osseuse et racornie, outrageusement maquillée, couverte de bijoux en toc cliquetant, s'est approchée de lui en minaudant. Le genre qu'il exècre, le genre que, sur terre, il fuyait comme la peste. Un bas-bleu, une fausse intello, une emmerdeuse, quoi, il n'y a pas d'autre mot, et il en a utilisé de bien plus corsés dans ses livres. Aucune idée d'ailleurs de qui c'était. Elle lui a dit son nom — Germaine ou Régine Quelque Chose, première fois qu'il l'entendait. Poète, a-t-elle précisé. Grand bien lui fasse. Lui, la poésie… « Romancier », a-t-il quand même à son tour précisé.

« Deux visions diamétralement opposées, a-t-elle dit. Ce n'est pas un jugement de valeur, je ne me permettrais pas. Je veux dire que vous, romanciers, vous vous cachez en quelque sorte derrière vos personnages tandis que nous, poètes, mettons notre cœur à nu. » Grand bien vous fasse, a-t-il pensé encore une fois.

« Je débarque à peine, a-t-elle repris. Quel drôle d'endroit. Des oubliettes ?

— Une oubliette. Un lieu d'où on ne sort pas.

— Et vous, vous êtes ici depuis… ? »

Il a fait un geste vague de la main. Le 21 décembre, pour lui, l'éternité se résume à ce jour-là, et il a toujours aussi froid. Condamné à grelotter à tout jamais dans son chandail de laine trop mince. Maintenant — trop tard —, il le sait : avant le départ vers l'au-delà, il convient d'être chaudement habillé. Des choses qu'on ne nous dit jamais. La majorité sont en pyjama, alors l'environnement n'est pas vraiment ce qu'on pourrait qualifier d'esthétique. Et il vaut mieux avoir pris un bon repas. Lui, il s'était endormi devant le journal télévisé après une demi-douzaine d'apéros, et il s'est réveillé ici, transi, un peu pompette et affamé. C'est long, l'éternité, quand on a le ventre vide.

« Et vous écriviez quoi ? » lui a demandé la poétesse d'une voix pleine de trémolos. Bon, enfin, elle essayait peut-être de se montrer aimable. Il a donné quelques titres, *Inconnue au régiment*, *Le passage à la moulinette*, *Le blues de Satan*. « J'en ai vendu cent cinquante mille de celui-là. » Il exagérait à peine. « Au Québec, nos tirages sont bien sûr plus modestes », a-t-elle dit. Ouais, elle ne devait pas en écouler plus de cinquante, de ses plaquettes.

N'empêche, le regard de la précieuse restait impavide. Ou, dans son cas, vide. « Non, je regrette, disait-elle chaque fois — et il n'était pas dupe, il voyait bien qu'elle ne regrettait pas. Ça ne me dit rien, non. » *Une puce pour le chien*, *Embrouille à Southampton*, *Le scorpion et la tarentule*, *Le cadavre d…* Elle l'a interrompu : « Attendez, le deuxième titre, c'est quoi déjà ?

— *Embrouille à Southampton* ? »

Elle a enfin paru se réveiller un peu. « Il me semble avoir lu celui-là », a-t-elle dit. Elle a plissé le front — ce qui n'a pas amélioré son apparence. « Si vous me rappeliez un peu l'intrigue.

— Eh bien, en quelques mots, c'est l'histoire d'un vol de lingots d'or organisé par un caïd nommé Bromsky. Mais le coup foire lorsque sa nièce Lola, incapable de tenir sa langue, se… »

Là, son regard s'est complètement allumé. « Mais… mais vous parlez d'*Ailes brisées* ? Ne me dites pas que vous avez collaboré ?

— J'ai écrit le bouquin, a-t-il répondu sèchement.

— Vous êtes le scénariste d'*Ailes brisées* ? Je ne peux pas le croire. Je pensais qu'il écrivait toujours ses scenarii lui-même. *Ailes brisées* ! C'est le film de…

— Pas le scénariste, a-t-il dit encore plus sèchement, voulant couper court à ces effusions. L'auteur.

— Le film de ma vie ! Et je pèse mes mots. De ma vie.

— Je suis l'auteur du livre que Bob Elkis a…

— Robert Elkis! Vous l'avez quand même connu? »

Elle était en pâmoison, au bord de l'apoplexie. « Ah! Veinard! Petit veinard! Comme je vous envie!» Ses cils papillonnaient, elle ne trouvait plus les mots.

« Que Bob Elkis a charcuté.

— Oh! Charcuté… Vous exagérez sans doute… Mais parlez-moi de lui. On raconte que c'était un homme d'une délicatesse infinie. Et Marjorie, l'inoubliable Marjorie, vous l'avez connue aussi? »

Il aurait dû lui tourner le dos et poursuivre son chemin, mais non, il a fallu qu'il reste là, allez savoir pourquoi, qu'il s'évertue à faire valoir son point de vue. « Ni elle ni lui. Et Stephen, Bromsky, Lola, c'étaient mes personnages. C'était moi qui les avais inventés.

— Bien sûr, a-t-elle roucoulé, bien sûr. Je n'ai malheureusement pas lu votre livre, mais je comprends. Je comprends parfaitement. »

Elle ne comprenait rien, l'obtuse.

« Pour Bromsky, je me suis inspiré d'un certain Brontier, Stan de son prénom, un sale type que j'avais connu au lycée et qui a pas mal magouillé pendant la guerre, trafic d'œuvres d'art et le reste. Lola, dans la réalité, s'appelait Laure. Elle n'était pas sa nièce, mais sa maîtresse. Et si elle n'avait pas inventé le fil à couper le beurre, elle était plutôt bien roulée.

— Excusez-moi, mon cher… euh… mon cher François… »

Je ne suis pas son cher, a pensé Lafargue. « Francis, a-t-il corrigé. Francis Lafargue.

— Oui, bien sûr, excusez-moi. Je n'ai pas la mémoire des noms, hélas. Pourtant, a continué la poétesse en secouant mutinement un index bagué, vous admettrez, mon cher Francis, que vous avez vous-même un peu trafiqué, si je puis dire, trafiqué la vérité. Alors j'ai peine à comprendre ce… comment dire, à comprendre ce ressentiment qui draine votre énergie... Vous devriez vous réjouir puisque, somme toute, si je puis me permettre de le dire, Robert Elkis a conféré une dimension tragique à des personnages que vous décrivez comme passablement... médiocres.

— Les gens étaient médiocres. Pas mes personnages.

— Sans doute, sans doute. »

C'était agaçant à la fin cette manie qu'elle avait de toujours répéter.

« Mais avaient-ils cette dimension tragique dont je parlais ?

— Ils n'en avaient pas besoin.

— Elkis les a quand même immortalisés.

— Il a tout saboté. Et cette histoire de talon brisé, ça n'a jamais été dans mon livre. »

Elle a eu l'air étonnée. « Ah ! non ? Avouez que c'était quand même une trouvaille. Une scène très réussie. »

Il a insisté. « Et puis, Bromsky ne tue pas Stephen d'un coup de revolver. Il l'enterre vivant dans le jardin. Avec une douzaine de scorpions importés du Mexique pour lui tenir compagnie dans son cercueil. »

Elle a eu l'air choquée. « Quelle horreur ! Je comprends que Bob Elkis n'ait pas voulu filmer ça. »

Un ange — ou un diable — a passé. Ange ou démon, allez savoir qui passe dans ces lieux-là.

« Vous connaissez peut-être mon *Chant du Cygne* ? a repris Germaine — ou Régine.

— Non.

— Une suite de poèmes que j'ai écrits en hommage à Elkis. Et à Lola. Un tirage confidentiel, bien sûr. Mon premier recueil. J'avais vingt ans. Mais vous étiez peut-être déjà décédé.

— Je ne l'ai pas lu, je vous dis. Je ne lis pas de poésie... Et quant à l'invraisemblable scène du rouge à lèvres... » a-t-il poursuivi, les dents serrées.

Elle a levé les yeux — où ? Au plafond ? Au ciel ? « Ah !
Mon Dieu ! » — Où se cachait-il, celui-là ? — « Quel
moment émouvant dans le film. L'apothéose. Ce n'était pas
de vous non plus ? »

Il a haussé les épaules.

« Avec la musique, mon Dieu, la musique de... bon,
voilà que j'ai oublié le nom du compositeur... mais la
chanson... vous vous souvenez ? » Elle n'allait quand
même pas se mettre à chanter. Eh bien, oui. Elle a entonné
le refrain de cette rengaine sirupeuse qu'il n'a jamais pu
supporter. Cela valait bien la peine d'être tombé dans
l'oubliette. Il est resté poli, mais il avait envie de se boucher
les oreilles. Ou de huer. De lancer des tomates. Quoique,
s'il avait trouvé des tomates, il les aurait plutôt mangées.

Désormais, il l'ignore, c'est mieux comme ça. La voilà
justement là-bas, qui lui envoie un petit coucou. Ses
grosses lèvres rouges se plissent pour former les mots
Broken Wings. Il fait semblant de ne pas la voir.

Il va se venger de Bob Elkis. Il a son plan. Un livre, oui
— que sait-il faire d'autre ? Dans l'oubliette, on manque
évidemment de tout. Papier, stylos, sans parler de machine
à écrire ou d'ordinateur — de toute façon, il ne saurait pas
s'en servir, il est mort trop tôt — sont introuvables. Pour
l'instant, il travaille dans sa tête le dénouement. « Maudit
voleur », grince Bromsky en écrasant son cigare dans
l'oreille de Bob Elkis. « Ordure. » « Tu ne perds rien pour
attendre, salaud. » Il allume un feu sous une grande marmite d'eau. « Tu vas mijoter à petit feu, faux jeton. » Il
l'attache sur une fourmilière, l'enduit de miel. « Bon
appétit, petites. » Il le suspend par les pieds au lustre du
plafond. Il sort son scalpel. « Le supplice sera long. »

11

Le jour se lève
au bord de la mer Noire

... c'est une côte escarpée sauvage-
ment battue par l'océan...
Il gagnait de l'argent — et pourquoi
n'en aurait-il pas gagné ?

Stefan ouvre la porte de la terrasse. Le soleil est sur le
point de se lever. L'aube est là, l'aube aux doigts de fée
qui teinte de rose la mer Noire. *Tcherno More.* Les navi-
gateurs l'avaient jadis baptisée noire parce qu'elle était
tumultueuse. Elle l'est toujours. Admirable moment où
tout paraît suspendu, un précaire équilibre. Et la vie s'offre
au jour, délicate, sereine. Encore innocente. Un moment
féminin, en quelque sorte, pense Stefan. La vie émerge,
dans toute sa féminité, son innocence. Et l'illusion se répète
quotidiennement. L'illusion ? Qu'importe, on aime y croire.
Parce que non, bien sûr, la vie n'est pas innocente, rien ne
l'est.

Pas un nuage à l'horizon, il va faire beau. Un peu de
vent tout de même — c'est la saison. Les vagues se brisent
avec fracas sur les rochers en contrebas — la côte ici est

restée sauvage, et c'est tant mieux. La vue qu'on a de cette
hauteur n'en est que plus impressionnante. Les mouettes
sont déjà réveillées, on en voit qui planent au-dessus des
flots. La grâce de leur vol. Stefan les suit des yeux. Pour lui,
les mouettes incarnent depuis toujours quelque chose
comme l'élégance. La beauté. Il éprouve pour elles une
tendresse teintée de nostalgie. D'autres oiseaux ont
commencé à chanter dans les branches des amandiers.
Solstice d'hiver. Une journée fraîche s'annonce, oui, et elle
est surtout fraîche à cette première heure du matin. Stefan
se frotte les mains pour les réchauffer. La terrasse est
heureusement protégée par des vitres sur les côtés, et bien
orientée — plein soleil le matin en hiver, en été à l'ombre
presque toute la journée. Quoi qu'il en soit et quel que soit
le temps — il peut même pleuvoir des cordes —, Ernesto
Liri ne veut pas renoncer à son petit déjeuner sur la
terrasse. Au début, c'était vers neuf heures et toute la
maisonnée préférait quand même ça. Maintenant, il tient à
se lever avec le jour. Il veut assister au «spectacle du
monde qui émerge et ouvre les bras pour accueillir la vie»,
comme il l'a décrit à Stefan une fois qu'il se sentait particulièrement inspiré. Par le passé, le jour s'est levé d'innombrables fois pendant que lui dormait. Il dit qu'il ne veut
plus le manquer. Probablement parce que le temps qu'il lui
reste est compté. Pour lui, chaque jour qui se lève peut être
le dernier, pense Stefan. En fin de compte, pour moi aussi.
Nous sommes tous logés à la même enseigne, c'est ce qui
donne son sel à la vie.

Tout est déjà sur la desserte, Maria, la cuisinière — la
pauvre est maintenant obligée de faire sonner son réveil au
milieu de la nuit —, y a veillé. Et elle a, bien sûr, pensé à
allumer le chauffage. Maria est une perle. Le reste de sa
famille aussi, tous des perles : son fils Yuri qui fait office

d'infirmier, se chargeant de la toilette, des massages et autres soins particuliers, son mari jardinier, sa fille aînée qui l'aide à s'occuper du ménage. Les autres enfants, un garçon et une fille, vont encore à l'école. La famille occupe un pavillon au fond du jardin, l'ancienne loge du gardien qu'on a rénovée.

La nappe damassée fraîchement repassée est étalée sur la table. Il y a les assiettes en porcelaine blanche ornées d'oiseaux noirs stylisés dont les ailes — brisées? — forment des angles insolites, les couverts en argent, les verres en cristal de Bohême, le plus grand, à pied, pour l'eau, l'autre pour le jus de fruit, les petites tasses sur leur soucoupe, le sel et le poivre dans leur coupelle, les coquetiers, le coffret chinois en bois laqué contenant les cigarettes, la rose rouge en bouton dans son vase filiforme. Liri voue aux roses une véritable passion — est-ce pour la vallée des roses qu'il a choisi la Bulgarie? Oui, la vallée des roses a dû compter pour quelque chose dans sa décision. Il exige d'en voir dans toutes les pièces de la maison. On en livre chaque soir trois douzaines, qu'importe la saison. Les roses ne souffrent pas la comparaison, énonce-t-il — un peu pompeusement, selon Stefan. Chacune est unique, chacune est une reine, et chacune doit régner seule dans son vase. Il leur parle, leur donne parfois de petits noms affectueux. Une autre de ces lubies qui viennent avec le grand âge. Chez Liri, on ne trouvera ni gerbes ni bouquets. Et jamais d'autres fleurs que les roses.

Stefan ajoute les deux pichets — eau minérale et jus d'orange —, la corbeille de biscuits — biscottes, doigts de dame, pain rassis parfumé à l'anis, langues de chat —, les trois bocaux de confitures — gelée de griottes, compote de prunes, confiture blanche, la préférée de Liri —, le miel de rose, évidemment, le bol de yogourt épais et onctueux comme de la crème Chantilly, et l'autre, salé, auquel on a

ajouté des brins d'aneth et des concombres hachés
— *Snejanka*, Blanche-Neige, comme on appelle cette salade,
Maria la prépare pour Stefan, peu amateur de mets
sucrés —, les œufs à la coque tenus au chaud dans leur
panier d'osier recouvert de flanelle, le beurre dans son
beurrier, le réchaud pour la cafetière. Après un siècle ou
presque d'expressos, Ernesto Liri ne boit désormais plus
que du café à la turque, amené sept fois au point d'ébul-
lition, aromatisé avec sept épices différentes, cardamome,
cannelle, cumin peut-être, et Dieu sait quoi encore. Maria
sait parfaitement le préparer. La *banitsa* — au fromage frais
de chèvre — doit finir de dorer dans le four. Elle
l'apportera tout à l'heure, fumante et odorante dans son
moule en terre cuite. Stefan met le sous-plat sur la table.

Il sort d'une poche de sa veste la petite boîte en
vermeil contenant les pilules et la dépose à droite de son
assiette, à côté du couteau. Un dernier coup d'œil. Rien ne
manque.

Il fait glisser la porte-fenêtre, entre dans la chambre,
puis ressort avec Liri dans son fauteuil roulant, un béret
sur la tête, emmitouflé dans une couverture de mohair à
carreaux bleus et verts. Il l'installe à la table, face à la
mer, puis s'assoit à côté de lui. Il remplit les deux verres
d'eau.

«Elle était bien jolie, cette Marjorie, chevrote Ernesto
Liri d'une voix plaintive. Oui, une bien jolie fille.» Il
soupire. «Mais trop, comment dire… comment dire…

— Fantasque? suggère Stefan.

— Trop impulsive. Trop intense.»

Il tend la main vers un doigt de dame, le porte en
tremblant — le parkinson — à sa bouche.

«Vous voulez votre café tout de suite? demande Stefan.
Je peux aller le demander à Maria.

— Non. Un peu plus tard, le café. »

Stefan verse le jus d'orange.

Comme d'habitude, Liri poursuit à voix haute le monologue intérieur commencé dans son lit pendant la nuit. « Oui, c'est ça, trop intense. Toujours du rire aux larmes. Plus souvent les larmes, en fait. Oui, le plus souvent... Pour tout dire, elle était épuisante. » Il mastique en silence son doigt de dame. Des miettes tombent sur la couverture. « Épuisante, répète-t-il. Elle m'a épuisé... Un réalisateur, ne me demande pas qui, Ranovsky, peut-être, ou Goma, l'avait pressentie pour incarner Cathy dans *Wuthering Heights*, c'est dire... Tu sais qui est Cathy, Stefan ?

— Un personnage d'Emily Brontë. Un très beau personnage.

— Une hystérique... Mais elle n'était plus capable de jouer... Elle rêvait d'incarner Blanche, tu sais, Blanche Dubois. *Un tramway nommé désir...* Elle s'en serait bien tirée, je crois. Mais Kazan en a choisi une autre, et c'est Vivien Leigh qui a décroché le rôle.

— Un choix heureux, si vous voulez mon avis.

— Bien sûr, bien sûr. Heureux. Mais quand même... Marjorie s'en serait bien tirée... Quand je l'ai connue, elle était encore toute jeunette, au début de la vingtaine, il me semble. Et moi, j'avais... J'avais... C'était, mon Dieu... dans les années cinquante ? Le film est sorti en... voyons voir... Allons, aide-moi, Stefan.

— Vous parlez de *Broken Wings* ? Il est sorti en quarante-neuf.

— Oui, en quarante-neuf, oui, c'est ça. Exactement. Mille neuf cent quarante-neuf, au siècle passé. Le temps file, hein ? On ne peut pas l'arrêter... Et même si on pouvait... Tu arrêterais le temps, toi, Stefan ? »

Stefan réfléchit un instant. « Peut-être. Parfois, dit-il. Pas souvent. Seulement les moments rares.

— Les moments rares, tu as raison. Les beaux moments. Pourtant, quand les beaux moments s'éternisent...

— Leur beauté se ternit, termine Stefan.

— Elle se ternit, ils la perdent. Les beaux moments sont comme nous, ils ne doivent pas s'éterniser. Mais moi, je m'éternise, hein, Stefan, et ma beauté... » Il ricane. « Tu ne dis rien ?

— Non.

— Tu es diplomate, c'est bien... Ma beauté se serait envolée si j'avais été beau. Je n'ai jamais été beau, alors je peux m'éterniser sans risque... Non, on n'arrête pas le temps, hélas... Ou heureusement... Mille neuf cent quarante-neuf... Alors moi, j'avais... j'avais...

— Trente-neuf ans », dit Stefan.

Il ouvre le pilulier, prend deux petits comprimés, un jaune, un bleu, qu'il tend au vieil homme, approche le verre d'eau de ses lèvres, l'aide à boire. Liri aspire bruyamment. Stefan prend la serviette blanche en lin, la déplie, essuie le menton de Liri.

Perdu dans ses pensées, Ernesto Liri dodeline de la tête. Il ne va pas s'endormir, il ne dort plus. Il voyage dans sa mémoire. Parfois, il perd le fil. Tel un papillon, il voltige entre ses souvenirs comme d'une fleur à l'autre. Stefan — secrétaire, chauffeur, interprète ou traducteur, commensal, homme de compagnie selon les heures, et confident, ça, oui, toujours depuis bientôt douze ans — a l'habitude. Mine de rien, il écoute avec beaucoup d'attention, prend mentalement des notes qu'il transcrit un peu plus tard dans un carnet. Il a commencé à écrire un livre, *Mes années avec Ernesto Liri*, qu'il compte faire publier après la mort du vieil homme — ce qui ne devrait plus tarder. Dans son genre, Liri est une vedette, une sorte de figure emblématique du vingtième siècle. Même si la plupart ne connaissent plus son nom, les gens fredonnent sa chanson depuis soixante ans ou presque. Cette pensée le frappe tout à coup : on se rappelle davantage le nom des interprètes des chansons que celui de leurs compositeurs. Il devrait peut-être changer son titre. *Mes années avec le créateur de Broken Wings.* Ou *Mes années avec* Broken Wings, tout simplement. Mais alors, certains croiront qu'il parle de Bob Elkis. Il va y réfléchir, il a encore du temps. Le livre n'en est qu'à ses premiers balbutiements. Des notes éparses dans un carnet.

Cette fois, le papillon a l'air de vouloir rester posé sur sa fleur. « Elle n'a pas survécu bien longtemps, reprend Liri. Cinq ou six ans tout au plus. Cinq ou six… La drogue. Elle a fini par se suicider, un suicide bien romantique, la robe de Lola, les mots dans le miroir, toute la panoplie… Pauvre petite. Ne restait plus grand-chose de sa splendeur à la fin. Les gens ignoraient ça. Mais moi, je le savais. J'ai vu bien des choses qu'on n'a jamais racontées… N'empêche… » Il se tait. Il doit continuer de raconter l'histoire dans sa tête. Il est souvent comme ça. Il converse avec ses fantômes. Comme s'il oubliait qu'il a en face de lui un interlocuteur vivant.

« N'empêche ? l'encourage Stefan.

— Oui, n'empêche… D'une certaine façon, c'est grâce à elle, je veux dire que, que… Tout ça… C'est elle qui a convaincu Bob Elkis de me confier la musique. Et j'ai gagné beaucoup d'argent. »

Il plisse les yeux, fixe la mer, plus bas, la côte rocheuse sauvagement battue par les vagues — un paysage qui n'a depuis le premier jour jamais cessé de l'émouvoir, de le

ravir. «C'est grâce à elle que j'ai tout ça. Et même toi,
Stefan. Sans elle, je ne t'aurais pas. Tu serais au-dessus de
mes moyens. Avec quoi penses-tu que je paye ton salaire?
— *Broken Wings*», répond Stefan.

Il prend un œuf sous le carré de flanelle, le dépose dans
le coquetier, le décapite délicatement, le sale et le poivre.
Puis, il plonge une petite cuiller dans le jaune tiède et
coulant, fait manger Ernesto Liri comme on fait manger un
bébé. «Beaucoup d'argent, continue ce dernier. Mais
pourquoi j'en aurais pas gagné? Pourquoi, hein, dis-moi?
J'ai travaillé.» Il repousse la cuiller d'un geste de la main.
«Non, merci. J'en ai assez, dit-il. Donne-moi plutôt une de
ces biscottes. Avec de la confiture, la blanche. *Bialo*, n'est-ce
pas?» *Bialo sladko*, une confiture très populaire en Bulgarie,
que Liri a découverte peu de temps après son arrivée, et
dont il ne peut plus se passer. C'est du sucre bouilli avec de
l'eau. On y ajoute du jus de citron. L'essence d'une plante
— le pélargonium, qu'on appelle plus communément le
géranium — lui donne son goût particulier. Un bonbon.
Ernesto Liri en raffole et, bien que son médecin lui ait
recommandé de ne pas en abuser, il s'en régale impuné-
ment tous les matins.

«Et puis, quelle histoire quand elle a dû avorter. Mais,
bon, qu'est-ce que j'étais censé faire, tu peux me le dire?
J'étais quand même un homme marié, j'avais déjà trois
enfants avec ma femme légitime, Dieu ait son âme.» — Il
se signe brièvement. «Trois enfants... Ou deux... En
quarante-neuf, j'en avais deux, n'est-ce pas, Stefan?
— Laura est née huit ans plus tard, répond Stefan.
— J'étais marié, père de famille. Je n'avais pas
l'intention de divorcer. Ma femme...» — cette fois, il ne se
signe pas — «... m'aurait saigné à blanc. Et puis elle,

Marjorie, avec ses problèmes… Elle avait déjà commencé à se droguer… Il a fallu trouver une clinique… pour l'avortement, je veux dire. Une clinique ultra-privée. Non, on ne pouvait pas faire autrement. On ne pouvait pas… »

Il prend la biscotte des mains de Stefan, la tient un instant suspendue dans les airs, secoue la tête. « On ne pouvait pas », répète-t-il. Il semble agité tout à coup. « Bien sûr, répond Stefan d'un ton apaisant.

— Tu dois savoir que c'était une autre époque, on n'entendait pas à rire avec la morale. Je risquais de perdre tous mes contrats, j'aurais peut-être même été banni de la Guilde, et alors là… Alors là… Réduit à jouer ma musique dans des clubs minables. »

Il en frissonne encore sous sa couverture. « Dans des bleds… des bleds…

— Perdus? Incultes? Arriérés? Barbares? énumère Stefan.

— Au fin fond des campagnes. J'aime autant ne pas y penser, dit-il. En pleine cambrousse, pour ainsi dire nulle part. Une fois exclus de la Guilde, tu devenais un paria. J'en ai connu… »

Il médite un instant, puis: « Mais quelle histoire, soupire-t-il. Des scènes à n'en plus finir. La petite se roulait à terre, littéralement. Elle pleurait, mon Dieu, comme elle pleurait. Comment le corps peut-il produire autant de larmes, tu peux me le dire? »

Stefan dit qu'il ne sait pas, il ne s'est jamais posé la question. Le corps est composé d'un important pourcentage d'eau. Et de sel. Pleurer serait peut-être une façon d'évacuer le trop-plein.

« Une fonction hygiénique, en somme. Oui, c'est peut-être ça.

— Les choses sont souvent moins romantiques qu'on ne l'imagine.

— Moins romantiques, c'est vrai, approuve Liri… C'est avec notre part animale, ou triviale, qu'on a du mal à se réconcilier. Alors, on devient romantique. Et on pleure. *Les souffrances du jeune Werther, La dame aux camélias*… Qu'est-ce que je disais ?

— Elle s'accrochait.

— Oui. Je me suis toujours demandé pourquoi. Aujourd'hui encore, je me le demande. Elle n'était pas amoureuse de moi. C'était Bob Elkis qu'elle aimait… Un joli coco, celui-là.

— Un homme de principes. Du moins, c'est ce qui ressort de ses biographies.

— Homme de principes, ah oui, mon œil, croasse Liri. Les biographes racontent n'importe quoi. Moi qui l'ai bien connu, je vais te dire : cet homme avait une âme de pasteur presbytérien sous des dehors débonnaires. Un pasteur avec plus d'un péché sur la conscience, tu peux me croire. Toutes ces starlettes, sans parler des scripts, des maquilleuses et des autres qu'il s'envoyait, comme si de rien n'était. Mais après ça, la culpabilité le rongeait. Tu peux me croire : ce n'est pas le cancer qui l'a tué, ce sont les remords.

— Au moins, il en avait.

— Ça, pour en avoir, il en avait… Oui, un homme bien coupable sous des dehors vertueux.

— Rien de tout ça n'a transpiré.

— Il cachait bien son jeu. Une femme effacée, cinq ou six marmots blonds aux yeux bleus, toute la famille au temple le dimanche, les œuvres de charité, les causes justes. Il faut dire qu'Elkis avait le sens de la publicité. On le vénérait… Même que… » Il s'arrête. « Tout ça reste entre nous, Stefan ? »

Stefan hausse les épaules. À qui Liri veut-il qu'il le dise ? Ils sont pour ainsi dire toujours tout seuls ici.

« Même qu'il avait des goûts… spéciaux. Les filles, il les aimait bien jeunes. Pas mal plus jeunes que Marjorie. Il n'y avait pas vraiment de mot pour ça à l'époque. Aujourd'hui, on en a un qu'on répète sur tous les tons.

— Pédophilie. Les temps changent.

— Les temps, mais pas les hommes, dit Liri.

— L'humanité, vous voulez dire ?

— L'humanité, les hommes. Les femmes aussi, évidemment... Alors il expiait ses fautes dans les films qu'il faisait.

— L'art a souvent cette fonction, dit Stefan.

— Tu crois ?... Une fonction d'expiation, oui, peut-être... Et s'il n'a pas couché avec Marjorie, c'est parce qu'il était trop malade quand il l'a connue. Si tu veux le savoir : il ne bandait plus... ne bandait plus. »

Cet éclat l'a essoufflé, il se tait un instant, mastique sa biscotte. « Mais ce sont des racontars, tout ça, je ne sais pas pourquoi j'en parle. Il ne faut pas parler en mal des morts. » Il renifle. « C'est mieux de parler en mal des vivants, tu penses ?

— Ils peuvent se défendre.

— Exactement... Elle se défendait bien, Marjorie, reprend-il. Elle s'accrochait. Avec ses griffes, avec ses dents. Une fois, elle m'a griffé le visage. Au sang. Je ne me rappelle plus quelle explication j'ai donnée à ma femme. »

Stefan tartine une autre biscotte de confiture blanche. Ernesto Liri lève la main. « Non. Griottes, dit-il. S'il te plaît. Et mets un peu de beurre dessous. Une fois n'est pas coutume. On n'en dira rien à mon tyran de docteur, c'est tout. » Stefan, lui, se sert de la salade Blanche-Neige.

Quelques instants passent. Ernesto Liri est ailleurs — où ? Au ciel avec ses oiseaux mutilés ? Ou en enfer, avec ses remords à lui ? —, puis il revient sur terre. Il interroge Stefan des yeux. « Vous parliez de Marjorie, dit Stefan.

— Marjorie, ah! Marjorie… Je l'ai connue pendant le tournage de ce navet, *Nuit blanche à la frontière*. Au Mexique, en mars ou en avril, je ne sais plus exactement, il faisait une de ces chaleurs. Oui, on suait à grosses gouttes, et je ne te parle pas des parasites. Toute l'équipe avait la *turista*… Bon, *Nuit blanche*, une nullité. Ils ne le passent plus jamais, heureusement. Même au milieu de la nuit, sur les chaînes les plus moches, j'en jurerais. Tu as déjà vu ça, toi, Stefan, *Nuit blanche à la frontière*?

Stefan secoue la tête.

«Pourtant, la musique. Oui, quand même. J'en étais assez fier. Je le suis toujours…»

Il se met à fredonner la mélodie d'une voix de fausset. Juste les premières notes, puis il se tait. Il a oublié le reste. Il y a des larmes dans ses yeux? C'est le vent. Le vent le fait pleurer. Plomberie défectueuse ou trop-plein d'eau salée. D'ailleurs, les vieux ont souvent les yeux lar- moyants.

«Dans le film, elle était une danseuse, je me rappelle, elle dansait dans un tripot… Une guêpière de dentelle noire, des bas résille, des souliers à talons hauts…» Son regard devient fixe, un petit sourire béat se dessine sur ses lèvres — Marjorie doit de nouveau danser, en guêpière, dans sa mémoire. «Quelles jambes elle avait… Mais tu sais ça, tu as vu quelques-uns de ses films.

— Des jambes magnifiques, approuve Stefan.

— Notre aventure a commencé un an plus tard, pen- dant qu'on tournait *Broken Wings*…»

Il s'interrompt, comme frappé par une idée subite — une nouvelle fleur à butiner. «À propos, dit-il, cette chanteuse, cette Française qui a traduit la chanson?… Tu sais de qui je parle?

— Daphné, répond Stefan.

— Oui, Daphné, ou peu importe son nom. Les cheveux rouges, d'après ce qu'on voit sur la photo. Bizarre, cette mode... Qu'est-ce que tu en dis, Stefan? Les cheveux rouges, ça te plaît à toi?»

Stefan répond que tout dépend de la fille. À Daphné, le rouge va plutôt bien, conclut-il. Liri hoche la tête, peu convaincu. «Au fond, elle pourrait bien avoir les cheveux verts, moi, je m'en fous, c'est le succès qui compte, non? Combien elle m'a rapporté en droits d'auteur, la fille aux cheveux verts?

— Rouges, corrige Stefan. Juste ce mois-ci, cinq mille huit cents.

— Euros?»

Stefan acquiesce d'un signe de tête.

«Pas mal, pour une chanson qui date d'un demi-siècle. Avoue.»

Stefan sourit.

«Après ça, je n'ai pas fait grand-chose de bon, on dirait. Un succès comme celui-là, ça te paralyse la fibre créatrice... Certains persévèrent, c'est vrai. Moi, je me suis, comme on dit, reposé sur mes lauriers.»

Il prend une bouchée de sa biscotte, la dépose dans l'assiette, enfouit ses mains sous la couverture. «Un peu frisquet, ce matin, dit-il.

— C'est le solstice d'hiver, répond Stefan. Vous voulez que je monte le chauffage?»

Liri secoue la tête. «Il faut que je m'habitue. Je ne sais pas pourquoi, mais j'ai l'impression qu'il doit faire froid là-bas.» Qu'est-ce qu'il raconte? «Là-bas? demande Stefan.

— Là où je m'en vais. Dans l'au-delà... Le solstice. Le jour le plus court de l'année... Ou la nuit la plus longue.»

Il reste silencieux un instant, rêveur. «Pour moi, la nuit est toujours trop longue... Toujours trop longue. Et bientôt…» Les mots restent en suspens. «Bientôt, la nuit s'appellera éternité», termine mentalement Stefan.

«Pour ce qui est des paroles en français, reprend Liri, pas très fort, tu es de mon avis?» Stefan répond qu'il est mauvais juge, il ne parle qu'un français très rudimentaire, *bonjour, au revoir, je vous aime, merci beaucoup.* C'est l'espagnol qu'il a appris à l'école. Et l'anglais, évidemment. «Évidemment, approuve Liri. Sans l'anglais, comment on communiquerait, toi et moi? J'aurais pu apprendre le bulgare, tu diras. J'étais déjà trop vieux quand je suis arrivé, trop vieux pour apprendre. Et puis, cet alphabet cyrillique, tu admettras que, hein? Tu n'admets pas? Enfin, vous voulez pourtant entrer dans la communauté européenne? Pour s'associer, il faut commencer par se comprendre… Mais, bon, cinq mille huit cents, j'aurais tort de me plaindre… Dollars, n'est-ce pas? Pas des leva quand même.» Stefan pousse un soupir. «Euros.

— Euros, oui, c'est encore mieux. J'aurais tort de me plaindre. D'ailleurs, on l'a traduite en japonais, en coréen, en italien — assez réussie, la version italienne, c'est vrai que j'ai collaboré pour les paroles —, en espagnol, et que sais-je encore.

— En bulgare, dit Stefan.

— Là, tu es meilleur juge. Alors, dis-moi, c'est comment, en bulgare? C'est bien?»

Stefan fredonne le refrain. *Razbito santze. Ptitza v dajda vij me, kak padam, razbiti krile.* «Évidemment, on ne pourra jamais rivaliser avec l'original, dit-il. La chanson a été conçue en anglais.

— En anglais. Des paroles du grand Bob lui-même. Quoique, si tu veux mon avis, elles sont plutôt de Marjorie. Piller et s'approprier, c'était une autre de ses manies.»

Il se tait un instant, comme s'il se demandait ce qu'Elkis lui a pillé à lui. Puis : « Tu sais que tu as une voix intéressante ? reprend-il. Après toutes ces années, je ne t'avais encore jamais entendu chanter. Si j'avais encore les relations que j'avais... Mais tout le monde est mort, on dirait. Sinon, je te donnerais un coup de main. Pour une carrière, une carrière de chanteur. Tu aimerais chanter, Stefan ?

— Pour dire la vérité, non. Vous voulez votre yogourt maintenant ? »

Il approche le bol, prend une cuiller.

« Plus tard, plus tard. Pour l'instant, je vais plutôt prendre un de ces petits biscuits, là.

— Une langue de chat », dit Stefan.

Liri a un geste d'impatience. « Qu'est-ce que je ferais sans toi, je me le demande ? » Les mots, comme le reste, lui font faux bond, et ça le frustre. Pas facile, songe Stefan. Pas facile d'avoir presque cent ans. Le corps, l'esprit nous lâchent. On oublie les mots, on ne sait plus marcher, on ne bande plus, j'imagine, on ne peut plus manger tout seul. À la merci des autres. À ma merci. Il le sait et je le sais aussi.

« Votre fille Laura a téléphoné hier soir, dit-il en lui tendant la langue de chat. Elle voudrait nous envoyer Jennifer pour une semaine de vacances en février. J'ai dit que j'allais vous en parler. » Liri prend un air dérouté. « Jennifer ? demande-t-il. Qui est Jennifer ?

— Votre petite-fille, explique Stefan. La plus jeune de vos petits-enfants. La fille de Laura, vous savez bien ? Elle a dix-sept ans. »

Une lueur s'allume enfin dans les yeux de Liri. « Ah ! oui, bien sûr. Jennifer, Nini. La benjamine. Celle que Laura a eue sur le tard. Ou plutôt, non. C'est moi qui ai eu Laura sur le tard... J'avais presque cinquante ans... Jennifer. Je

l'ai toujours aimée, cette enfant. Elle ressemble à sa mère.
Et sa mère était la préférée de mes enfants. Alors, tu as dit
oui ?

— J'ai dit que j'allais vous consulter. »

Liri semble peser le pour et le contre, puis : « Au fond,
pourquoi pas ? Je ne suis pas contre un peu de fantaisie,
dit-il enfin. Mais elle ne risque pas de s'ennuyer avec un
vieux barbon comme moi ? Tu t'en occuperas, Stefan, tu la
promèneras, je te fais confiance. Tu ne vas pas la molester,
la suborner ? » Stefan sourit. « À dix-sept ans, je la trouve
un peu jeune. Elle pourrait presque être ma fille.

— Ça ne veut rien dire. »

Liri a un petit sourire presque égrillard. Il doit se
rappeler sa liaison avec Marjorie. « J'imagine qu'elle aime
la plage, c'est de son âge... Pourtant, en février, c'est une
drôle d'idée, il fera froid... Tu l'emmèneras visiter ces lieux
historiques aux noms trop compliqués pour moi. Et tu
l'emmèneras à Sofia. Sinon, il y a sûrement, je ne sais pas,
un bal à Nessebar. Tu dois être au courant.

— Il y a une discothèque, dit Stefan.

— Discothèque, bal, boîte de nuit, c'est tout comme. Ne
te mets pas à enculer les mouches.

— Ce serait difficile.

— Bon... Je suis d'accord avec toi, ce serait difficile...
Mais qu'est-ce qu'elle a fait encore, la petite ? Elle ne s'était
pas... sauvée de chez elle l'an dernier ?

— C'est Victoria, une autre de vos petites-filles, qui a
fugué, mais ça fait cinq ans déjà. Vickie, vous vous rap-
pelez ? »

Liri secoue la tête. « La fille de Franco, insiste Stefan.
Votre fils Franco. » Liri a un autre geste d'impatience. « Je ne
suis pas encore complètement sénile. Je sais qui est
Franco. » Stefan se tait. Il est à ma merci, songe-t-il. Je pourrais me lever et le planter là, tout seul sur la terrasse,

impuissant. Lui lancer le bol de yogourt à la figure. Lui tordre son petit cou de poulet, et le dernier soupir serait un couac, un dernier soupir discordant pour ce musicien célébré. Et quelles ont été les dernières paroles du grand maestro? Couac. Je pourrais l'arracher à son fauteuil, le soulever dans les airs, il pèse une plume, le lancer à la mer Noire qui n'en ferait qu'une bouchée. Il tourne les yeux vers la mer. Une mouette vient de plonger. Elle a vu quelque chose bouger sous la surface de l'eau et s'est précipitée. Mais le poisson s'est échappé. À présent, la mouette se laisse porter par la vague. Tout est de nouveau calme.

« Je me fais vieux, dit Liri, plaintivement, comme s'il avait lu dans ses pensées. J'ai pratiquement vu passer le siècle. Le vingtième siècle. Deux grandes guerres en Europe, sans parler des autres, le Viêt-Nam, l'Irak, la Yougoslavie, la Corée, que sais-je encore...

— Le Rwanda, dit Stefan. L'Afghanistan, la Somalie, Haïti, le Liban, le Cambodge, la Palestine. La Tchétchénie.

— Oui, et encore, on en oublie... J'étais bien jeune pendant la première, mais quand même, je l'ai vécue, en Italie. Le rationnement. On mangeait des rutabagas. À tous les repas. Chez nous, en Toscane. Je n'étais qu'un enfant, mais quand même. Des rutabagas. Après, je n'ai jamais plus été capable d'en manger. Même l'odeur... Quant à la deuxième... Je vivais déjà aux États-Unis, j'étais un homme marié, père de famille... Le vingtième siècle. On se demande quel souvenir l'histoire en gardera. La première bombe atomique, le premier homme sur la Lune. Ou *Broken Wings*, composé par Ernesto Liri... »

Il fait entendre un petit rire, une sorte de gloussement. « Un beau siècle, le vingtième, tu penses ? »

Stefan hausse les épaules. La Bulgarie, pense-t-il, a connu huit siècles de domination ottomane pour ensuite, enfin « libérée », passer sous le joug soviétique. « Nommez-moi un seul siècle qu'on pourrait qualifier de beau », dit-il. Liri prend le temps de réfléchir. « Le dix-huitième, peut-être. Les Lumières... Mais tu vas dire que tout le monde n'était pas Diderot ou Voltaire. Et tu auras raison. Ils n'étaient pas tous Voltaire. Pas tous illuminés, loin de là... Le seizième alors, qu'en penses-tu ? La Renaissance, les œuvres d'art, les grandes découvertes, la conquête de l'Amérique... Un beau siècle, le seizième.

— Mais pas pour les conquis, répond Stefan. Pas pour les Indiens.

— Non, pas pour les Indiens... Le bonheur des uns, comme on dit... Les uns cherchaient l'Eldorado, ils voulaient de l'or, et les autres... Ils n'ont pas su le défendre, on dirait... Mais quand même, l'Amérique, le Nouveau Monde, c'est quelque chose, on ne peut pas prétendre le contraire... J'ai longtemps vécu aux États-Unis. Et puis, j'étais au Mexique à la fin des années quarante. Pour le tournage de... »

Stefan reste silencieux. « Allons, aide-moi. Tu ne vas pas faire la tête maintenant. » Stefan réprime un bâillement. « *Nuit blanche à la frontière.*

— Merci... Il n'y avait rien encore entre Marjorie et ⸢ moi. Là, j'ai connu une Mexicaine. Ne me demande pas son nom, j'ai oublié. Une belle fille, pas comme Marjorie, non, pas du genre éthéré. Une fille... comment dire... une fille en santé. Elle me faisait penser à un de ces personnages de Gauguin. Une... une...

— Vahiné.

— Une vahiné, merci... J'ai toujours aimé ce mot, vahiné. Et j'ai toujours aimé les vahinés, ces femmes brunes à l'air placide... C'est bien, la placidité, chez une femme. La mienne, qu'elle repose en paix, était plutôt acide. Elle était sujette aux ulcères d'estomac, ça explique peut-être…» Il fait un geste nerveux de la main, comme pour chasser un mauvais souvenir. «Enfin, qu'elle repose en paix, répète-t-il. Je préfère penser aux vahinés placides. Des fleurs dans leurs cheveux, des paniers de fruits sur la tête. Pieds nus, un paréo autour de leurs hanches. Larges hanches, un bassin fait pour porter une ribambelle d'enfants… Si je n'étais pas le vieux grabataire que je suis, je quitterais la Bulgarie, j'irais m'installer à Tahiti. J'irais mourir là-bas, sous les cocotiers. Tu m'accompagnerais à Tahiti?

— Je ne crois pas, répond Stefan.

— Tu ne crois pas. Eh bien, tant pis. Tant pis pour moi… Ma Mexicaine travaillait comme modèle à l'École des beaux-arts, il me semble. Elle avait posé pour une photo qui l'avait rendue célèbre. Ou presque. C'est plutôt la photo qui était célèbre…»

Il rêve encore quelques instants à ces femmes, mexicaines ou maories, les yeux fermés, balançant son torse d'avant en arrière. Stefan se ressert de la salade, beurre une biscotte.

«On voudrait toujours être ailleurs, c'est ça le problème, on n'est jamais content…» Il secoue la tête. «Alors, ce soir, Stefan, qu'est-ce qu'il y a au programme?»

Stefan a parmi ses fonctions celle d'organiser les distractions de Liri. Un soir sur deux, il lui fait la lecture — Liri a une prédilection pour les biographies. Quand ce sont des gens qu'il a connus, il interrompt Stefan, corrige ou précise certains détails. Parfois, il soupire: «Toutes ces fadaises.» Parfois, il rage — et c'est mauvais pour sa pression: «Ça ne s'est pas du tout passé comme ça, s'étrangle-t-il. Je le sais. J'étais là.

— C'est romancé, dit Stefan.

— Romancé. Dis plutôt qu'ils trafiquent la vérité.»

L'autre soir, plus paisible, est consacré à l'audition de grandes œuvres musicales, des fugues et des cantates de Jean-Sébastien Bach, la *Symphonie inachevée*, Liszt, Rachmaninov — le fameux concerto pour piano —, des études de Chopin. «Qu'est-ce qui vous fait envie? demande Stefan.

— Je pensais qu'on pourrait écouter un opéra. Pas Wagner, il me fatigue. *Don Giovanni*, peut-être. Ou bien *Carmen*. On ne s'en lasse pas.

— L'Espagne vous inspire aujourd'hui, on dirait.

— Ce n'est pas d'aujourd'hui que l'Espagne m'inspire... Disons *Carmen*, j'aime bien Bizet. C'est plus léger. Dirigé par Georges Prêtre, avec la Callas dans le rôle titre. Pour *Carmen*, Callas était la meilleure. Qu'est-ce que j'aurais donné pour qu'elle interprète une de mes chansons. Une seule chanson, celle de son choix. Je lui ai proposé, tu sais, j'ai offert beaucoup d'argent. Une somme considérable. Elle ne roulait plus sur l'or, à l'époque. Onassis venait de la plaquer pour madame Kennedy... Un enregistrement unique, juste pour moi. Elle a refusé...

— Vous ne m'aviez jamais raconté ça.

— Je ne l'avais jamais raconté à personne. Je ne raconte pas tout. Qu'est-ce qu'il reste quand on a cent ans, sinon quelques petits secrets? Celui-là vient de m'échapper...»

Il balaie ses regrets d'un geste de la main. «Bon, elle avait ses raisons. Je ne lui en veux pas, Stefan, elle est restée insurpassée. Ce soir, nous l'écouterons chanter *Carmen*.»

La porte s'ouvre et Maria fait son entrée avec la *banitsa* qu'elle tient dans un torchon plié. Sa fille Nadia apporte la cafetière en cuivre. Stefan allume le réchaud. L'air se remplit d'odeurs affriolantes.

«Brûlante. Elle sort tout juste du four», dit Maria en déposant le moule sur le sous-plat. Stefan traduit. Liri sourit d'un air gourmand. Dodue, aérienne et croustillante, comme il l'aime. À son âge, a-t-il coutume de dire, les péchés qu'on peut commettre se font de plus en plus rares, hélas. La gourmandise est le dernier. Autant en profiter. «Merci, Maria.» Nadia fait un petit salut, retourne dans la maison. Sa mère lui emboîte le pas, mais Liri lève une main pour l'arrêter. «Stefan, demande-lui ce qu'elle a prévu pour le réveillon… Au fait, qui vient passer Noël, cette année? Tu me l'as sûrement dit, mais c'est comme le reste, j'ai oublié.

— Ils seront presque tous là, vos enfants, vos petits- et arrière-petits-enfants: Franco, Connie, Laura et GianCarlo… Son mari, précise-t-il en voyant Liri hausser les sourcils.

— GianCarlo, dis-tu? Je croyais qu'il s'appelait Arturo.

— Arturo, c'était l'avant-dernier. Ils ont divorcé. Vous vous souvenez?»

Liri hoche vaguement la tête. Stefan poursuit: «Votre nièce Basilia et ses enfants, votre neveu Nicolino…

— Jennifer? l'interrompt Liri.

— Non, elle va chez des amis en Suisse, faire du ski. C'est pour ça que, si vous êtes d'accord, elle viendra plutôt en février. Et Vickie ne sera pas là non plus, malheureusement…» Il hésite un instant. «En cure de désintoxication», dit-il finalement.

Liri digère l'information. «Ah! bon. Je ne savais pas… Alors, elle aussi? La roue tourne, comme on dit… La roue tourne et rien ne change. Les tares de la famille. Ne t'avise jamais de raconter ça. Toi non plus, Maria. J'en connais qui se réjouiraient de l'apprendre.

— À qui voulez-vous que je le raconte?» demande Stefan. Tous les détails sont pourtant déjà notés dans son carnet. «Et Maria ne parle pas anglais.

— Tu serais surpris. Tu serais surpris de ce que les gens comprennent quand ils ne parlent pas la langue.»

« Alors, Maria, ce réveillon ? Raconte-moi. » Elle
énumère en bulgare les mets qu'elle a prévus : quatre
salades pour accompagner la rakya, du jambon et des
saucissons, des feuilles de vigne, des œufs de poisson, des
aubergines et des poivrons grillés, le potage aux orties, la
kapama qu'elle préparera avec du porc — la viande du
cochon que, à la campagne, sa famille a traité aux petits
soins depuis le printemps —, du veau, du poulet et du
chou, le riz pilaf aux champignons sauvages, la *banitsa*,
bien entendu, et pour dessert, des baklavas, un gâteau aux
amandes, un autre, le *tikvénik*, à la courge, le yogourt avec
du miel de rose et des noix. Stefan relaie l'information. Liri
approuve chacun des plats d'un signe de tête. « Nous
allons nous régaler, Maria. Mais rentre, tu as l'air d'avoir
froid. » Elle sourit, puis elle rentre et referme la porte
derrière elle.

Stefan soulève avec la spatule une part de *banitsa*, la
dépose sur une assiette, en découpe une bouchée qu'il
présente à Liri avec la fourchette. Celui-ci la happe, la
laisse un instant reposer sur sa langue, puis la mastique
lentement, l'air extatique. La gourmandise est le dernier
péché. Il ouvre encore la bouche, Stefan lui présente une
autre bouchée. Un long moment passe. « De quoi parlions-
nous ? demande-t-il finalement.

— D'une Mexicaine, répond Stefan.

— Une Mexicaine ? Qui parlait d'une Mexicaine ?

— Vous. Une Mexicaine qui a posé pour une photo
célèbre. »

Le papillon voltige, erratique, il cherche sa fleur dans le
champ. Il la trouve enfin, s'y pose. « Oui, une Mexicaine, ça
me revient, dit-il. J'ai oublié son nom, mais la photo, je
m'en souviens… Allongée sur le dos, elle dormait… On
voyait ses poils noirs entre les bandages. Ses poils

pubiens… Très joli… Oui, elle avait le ventre bandé… Les poils pubiens, ça avait fait tout un scandale… Une époque hautement morale… C'était une photo… automatique. Le poète français surréaliste… Tu sais bien ?

— Paul Eluard ? suggère Stefan. André Breton ?

— Breton, oui, le poète surréaliste. Moi, je ne l'ai jamais vraiment apprécié, mais enfin… Le Mexique attirait alors beaucoup de célébrités. Léon Trotski n'était pas là dans les années quarante ?

— Dans les années trente, corrige Stefan. Il habitait à Coyoacán. Il est mort en 1940. La maison où il a été assassiné est transformée en musée.

— Quoi qu'il en soit… Il avait… Breton, je veux dire… demandé une photo automatique à ce photographe. Et voilà… Des bandages, les poils pubiens, quelques chardons… Une photo surréaliste. Ils lui avaient donné un drôle de titre. *La bonne renommée endormie…* Une sorte de jeu de mots ou je ne sais trop à partir d'un proverbe espagnol… Qui parle de se reposer sur ses lauriers.

— Ce proverbe, c'est *Haz fama y echate a dormir*, dit Stefan. Notre professeur d'espagnol nous avait fait apprendre une liste de proverbes et d'expressions idiomatiques. Je me souviens de celui-là : *Deviens célèbre, et ensuite, tu pourras dormir.*

— Et moi, c'est exactement ce que je fais, je dors, je me repose sur mes lauriers…

— Et le photographe s'appelait Manuel Alvaréz Bravo.

— Tu as la mémoire des noms, Stefan. La mémoire. Ce qu'il nous reste à la fin. Ou ce qu'il ne nous reste pas. Parfois, sans crier gare, elle s'en va. Elle nous laisse en plan. Pas toujours très fidèle. Comme une femme.

— Vous aussi, vous étiez infidèle.

— Une fois, Stefan. Juste une fois. »

Stefan sourit.

— Bon, deux ou trois peut-être. J'ai oublié mes infi-
délités... Mais avec cette Mexicaine, je n'ai pas été infidèle.
Je l'ai connue sur le plateau. Elle figurait, il me semble. Ou
bien, c'était un caméo... »

Liri reste songeur un instant, puis : « Tu m'imagines,
couché tout nu sur le dos, avec mon petit zizi ratatiné qui
se pointe entre les bandages ? » Une vision surréaliste qui
les fait tous deux sourire, puis pouffer de rire, rire aux
éclats. Ils rient tellement que des larmes roulent sur les
joues de Liri, qu'il s'étouffe, se met à tousser. Stefan lui
masse le dos, lui tend une serviette pour essuyer son
visage. « Mon zizi entre les bandages... Bandé... Je n'avais
pas ri comme ça depuis longtemps », dit Liri. La mouette
vole de nouveau au-dessus de la mer calme.

Stefan verse le café, approche la tasse des lèvres
d'Ernesto Liri. Celui-ci aspire une petite gorgée, pousse un
soupir de bien-être. « La gourmandise...

— Est le dernier péché, termine Stefan.

— Le dernier. Et maintenant, si tu nous servais une
larme de raki. » Il fait un geste vers la desserte. « Celui aux
abricots. »

Stefan débouche la bouteille, verse de la rakya dans
deux petits verres.

Liri ferme les yeux pendant que Stefan le fait boire. « Et
n'oublie pas ma cigarette, dit-il. Ma cigarette de la journée. » Il dit ça, mais il en quémande toujours une autre
après le souper, une dernière avant de se coucher. Stefan en
prend une dans le coffret laqué, l'allume, la lui tend. Liri
aspire une bouffée. Il pousse un autre soupir de bien-être.
« Elle était bien jolie, cette petite, dit-il. Marjorie. »

12

Dans le métro l'après-midi, à Mexico

> *... les empereurs aztèques, du temps où*
> *Mexico s'appelait Tenochtitlán.*
> *— Un beau siècle, le seizième.*
> *— Mais pas pour les Indiens, répond Stefan.*

Il descend du *pesero*, le minibus vert — aujourd'hui, c'en est un tout déglingué, avec une porte qui ne ferme plus, deux fenêtres cassées —, qui finit ou commence son trajet à la station de métro Tasqueña. C'est là que tous les jours, même le dimanche, Paquito entreprend son parcours sur la ligne bleue. Il est en bleu, lui aussi, un jean, un sweat-shirt trop grand pour lui. Même ses cheveux très noirs ont des reflets bleutés. Teint basané, pommettes hautes, yeux bridés. Un Indien, sans aucun doute. Zapotèque, maya, aztèque, toltèque, allez savoir. Métissé ou non — on dit qu'une goutte de sang espagnol coule dans les veines de la plupart des Indiens. Il vit à Mexico et s'il s'appelle Paquito, c'est-à-dire Francisco, c'est parce qu'il est né le 4 octobre, fête de saint François, dix ans plus tôt.

Il monte l'escalier métallique, marche sur la passerelle, renifle en passant les odeurs de tacos, de pains sucrés, ravale sa fringale. Pas le temps. Il mangera plus tard. Dans la station, il fait la file au guichet, il achète son billet — deux pesos —, il descend l'escalier et, le chiffon roulé dans sa poche, il attend au bout du quai. Un coup d'œil à l'horloge : quatre heures deux. L'attente n'est jamais longue. Quand le métro arrive, il entre dans le dernier wagon avec les autres passagers.

Les portes se ferment, tout le monde est installé. Tasqueña est le point de départ, le métro n'est pas encore bondé, la plupart des gens ont une place assise. Paquito prend une grande inspiration, sort le chiffon de sa poche, fléchit les genoux, pose les deux mains sur le sol. Son visage au niveau des pieds des passagers, il avance à quatre pattes, une attitude rappelant celle d'un chien qui flaire une piste.

Il a un travail à faire, le même tous les jours.

Tout un assortiment de chaussures s'offre à son regard : baskets, bottillons, souliers lacés mats ou vernis, escarpins fins, godasses éculées, souples mocassins à l'occasion ornés de petites perles multicolores, de broderies. Des noirs, des bruns, des bleus, des roses, des gris. Il voit des bas de pantalon au pli soigneusement repassé, une mallette en cuir entre deux pieds, des sacs d'épicerie, il voit des jeans effilochés, des chevilles féminines dans des bas de nylon. Grands pieds, petits pieds, pieds déformés. Quand les pieds sont dans des sandales, il voit parfois des oignons et des cors, des ongles fendillés, ou bien il voit les ongles vernis des femmes, rose bonbon, rouge sang.

Mais il ignore les sandales — l'hiver, heureusement, elles se font rares. À partir de mars, quand la chaleur commence, sa vie se complique quelque peu. Aujourd'hui, on est en décembre, mercredi, une belle journée ensoleillée. Tout va bien.

Lorsqu'il aperçoit une paire poussiéreuse, et c'est souvent le cas, la ville est si sale, il s'approche et astique.

Ensuite, il tend la main. On lui donne cinquante centavos, parfois un peso, parfois deux. Les pingres ne donnent rien, mais une fois sur deux, plutôt sur trois, il reçoit quelque chose. Une aumône. De voir un enfant avancer comme ça, à quatre pattes sur le sol — toujours cette image d'animal flairant —, ça touche le cœur des gens, la corde de la culpabilité se met à vibrer. Tant mieux s'ils se sentent coupables. D'ailleurs, c'est comme ça, il faut gagner sa vie. Ce n'est pas une aumône, c'est un salaire. Quand on travaille, il faut qu'on soit payé. Sa mère, elle, fait bien des ménages, tous les jours elle s'esquinte à faire briller les planchers des autres, à frotter des lavabos, des comptoirs en céramique, des éviers, des cuvettes de toilettes, à repasser des jupes et des chemises, des pantalons. Dans certaines maisons, on lui demande de cirer aussi les chaussures et elle le fait. Quand elle rentre le soir, elle se lamente bruyamment. ¡ *Madre de Dios !* Mains gercées. Mal à la tête, courbaturée. ¡ *Dios mío !*

Et c'est comme ça depuis la nuit des temps. Depuis que le *señor* Cortés a fait pendre Cuauhtémoc à un arbre dans la campagne du Tabasco. Des centaines d'années. C'est comme ça. Paquito a des questions, mais les réponses, il ne les a pas, personne ne les a, alors il les invente. Une question revient : pourquoi ce sont les Espagnols qui ont gagné la guerre alors qu'ils étaient si peu nombreux et que les Indiens étaient, eux, des centaines de milliers et même des millions ? Ce n'est pas logique. La réponse, aujourd'hui, c'est : parce que les Espagnols avaient des super héros pour les aider. Les Indiens, eux, n'en avaient pas.

À chaque arrêt, il sort du wagon et entre dans le suivant. Des vendeurs ambulants, des mendiants entrent et sortent en même temps. Tout le monde a quelque chose à raconter, à demander, surtout à vendre. Chewing-gums, chocolat, bonbons, livres de recettes ou de prières, porte-clés, stylos, CD. Certains sont en fauteuil roulant, implorent la pitié des gens, d'une voix forte, presque vindicative, d'autres, plaintivement. Certains sont tout tordus, à d'autres, il manque un bras, une jambe. Des dents, presque toujours. Quand ils ouvrent leur bouche édentée, ils haranguent les passagers en brandissant la photo d'un enfant malade et des factures d'hôpital. Des femmes malingres, un bébé sur la hanche, tendent la main sans dire un mot : leur état parle de soi. À la fin, c'est toujours pareil : on tend la main.

Troisième station : deux garçons entrent. Seize ou dix-sept ans, cheveux bleu-noir, yeux en amande, des Indiens comme lui. Paquito les reconnaît, il a vu au moins dix fois leur numéro. Mais ça l'enchante chaque fois. L'un va déplier une vieille couverture, l'étendre sur le sol, y jeter des tessons de. bouteille, se coucher dessus. L'autre va grimper sur sa poitrine. Et pas une goutte de sang dans son dos quand il va se relever. C'est magique. Ces deux Indiens ont des pouvoirs surnaturels et c'est de bon augure quand ils sont là. La moitié au moins des passagers donnent une pièce.

Sixième station : Villa de Cortés. Voilà l'histoire que Paquito connaît : avant de pendre Cuauhtémoc, le dernier empereur aztèque, Cortés l'avait fait attacher à un arbre et, pour le faire parler, il lui avait brûlé les pieds. Où était caché le trésor ? C'était ça qu'il voulait savoir, le *señor* Cortés. Où était l'or ? Ils étaient venus d'Espagne pour l'or aztèque, les rubis, les émeraudes, le fabuleux trésor. Ça s'était passé à Mexico, quand la ville s'appelait encore Tenochtitlán. Cuauhtémoc avec son casque d'or orné de plumes, ligoté, les pieds transformés en moignons couverts de cloques. L'odeur de chair cramée qui stagnait dans l'air.

Il n'avait rien révélé. Une chose que Paquito aime savoir. Moi non plus, Cortés, je n'aurais pas parlé.

Et le métro ne repart pas. Une panne ? Paquito repère une paire de chaussures en cuir noir un peu plus loin, se dirige vers elles. Cinquante centavos, c'est mieux que rien. L'histoire, ça va juste dans un sens. Comme le métro ? Mais le métro, lui, revient sur ses pas. Et il existe des machines pour remonter dans le temps, il en a vu dans des films. Quand on remonte dans le temps, on peut changer l'histoire. On peut le faire à l'infini. On fait gagner ceux qu'on veut. Pour commencer, il va rassembler son armée. Que des super héros aux pouvoirs surnaturels.

Le métro repart. Septième station. Un musicien déguisé en mariachi entre avec sa guitare. Le moment est venu. Paquito se dédouble. La moitié de lui — son corps à quatre pattes — s'approche d'une paire de souliers usés. Le vieux bonhomme revêche qui les porte secoue la tête. Non. Paquito a envie de cracher, mais il se retient. *Hijo de la chingada*, dit-il quand même, dans sa tête. L'autre moitié — la tête remplie de réponses et de rêves — est le capitaine qui rassemble son armée. C'est à lui que, un peu plus loin, debout près de la porte, Spiderman fait un signe de connivence.

Huitième station, Viaducto. Une vendeuse de stylos, une mendiante avec son bébé. Des bottes brunes à talons hauts. Paquito les fait reluire : un peso. Dans le vaisseau qui remonte le temps, son double voit Jésus avec sa cape rouge, sa mère Marie à ses côtés, tous deux assis sur une banquette. Alerte rouge, murmure-t-il en passant près d'eux. Jésus incline la tête, Marie esquisse un léger sourire. Pouvoirs magiques assurés.

Neuvième station. Un type mal rasé en col roulé noir lui donne cinq pesos pour rien. Ses souliers noirs étaient impeccables. Cinq pesos. Il y a des jours, comme ça. Des jours fastes. Paquito achètera tout à l'heure quelque chose à manger. Un petit pain sucré, oui, mais lequel? Aux raisins secs, au chocolat? Ou bien une *concha*? Il ne sait pas encore, il a quelques heures pour y penser. Mais il ne doit pas se laisser distraire. Il a une mission. Il voit Tornade, super héroïne aux cheveux blancs. Elle fait une entrée remarquée dans la navette. L'index et le majeur discrètement levés, Paquito fait le signe de la victoire. Elle fait semblant de rien, mais il sait qu'elle l'a vu.

Dixième station. Un vendeur de CD avec sa radio. *Exitos de siempre*. À tue-tête, quelques mesures des succès immortels. Tiens, *Alas rotas*. La chanson parle d'un oiseau aux ailes brisées. Sa mère la chante quand elle n'a pas mal à la tête. Et chaque fois qu'elle la chante, Paquito pense à l'empereur Cuauhtémoc. Le nom veut dire «Aigle qui tombe». Cortés lui a brisé les ailes, c'est pour ça qu'il est tombé. Cortés lui a brûlé les ailes. Les baskets du vendeur sont cradingues, mais Paquito s'abstient. Les vendeurs ambulants ne donnent jamais rien. Un passager achète un CD. Pour Paquito, rien. Du coin de l'œil, il aperçoit Luke Skywalker au moment où il sort du wagon. Le fidèle Yoda l'accompagne, mais personne ne le voit. Évidemment. Paquito possède ce pouvoir : il est le seul qui voit. Pourquoi sortent-ils ici? Ils se trompent de station? Paquito ne comprend pas. Ce doit être une feinte, pour tromper l'ennemi.

Onzième station, Pino Suárez. C'est ici. Il descend. Mêlé à la foule pressée, il suit les longs couloirs — direction Barranca del Muerto. La ligne rose. Normal qu'elle soit rose. *Et moi, je suis sur un lit de roses, tu crois ?* L'aigle avait dit ces paroles au scorpion pendant qu'on lui brûlait les pieds. Personne ne les a oubliées. Souffrir sans se plaindre, c'est l'exemple qu'il a donné. Ne jamais céder. Un peu plus loin devant lui, Paquito reconnaît les trois anges, la blonde, la brune, la rousse, les anges de Charlie. De mieux en mieux. Cortés ne perd rien pour attendre.

Il entre dans le wagon. Trop de monde, Paquito ne peut pas travailler, il se ferait piétiner. Il reste près de la porte. Tiens, Batman est déjà là. Il lit un journal. Il s'est déguisé — un imper, un chapeau, des verres fumés —, mais Paquito le reconnaît quand même. Ils font le trajet ensemble, sortent à la troisième station. James Bond les attend sur le quai.

Cette station s'appelle Cuauhtémoc. Cuauhtémoc, dans le cœur de Paquito, c'est toujours le but du voyage. Est-ce qu'un jour je prendrai notre revanche, Cuauhtémoc ?

Il la prend. L'armée magique est rassemblée. Le ciel s'ouvre et le serpent à plumes apparaît, il déploie ses belles ailes, s'approche en ondulant dans l'air, s'enroule autour de Cortés, l'immobilise. Jésus descend de sa croix, un éclair dans la main pour foudroyer l'infâme. La Vierge Marie écrase sous son pied rose la tête du méchant — des bouts de cervelle lui sortent par les oreilles. Des Indiens accourent, ils sont des milliers, des centaines de milliers, des millions. Luke Skywalker avec son épée, Yoda avec ses pouvoirs, Spiderman et Batman sont là. Tornade aux cheveux blancs déclenche un ouragan. Les tourmenteurs sont emportés dans le tourbillon. En enfer, c'est là qu'ils aboutiront, dans le grand chaudron d'huile bouillante et Satan, avec sa fourche, les piquera jusqu'à la fin des temps. Les anges de Charlie pointent leur pistolet paralysant. Les liens

de l'empereur sont tranchés, miraculeusement, la peau
repousse sur les pieds brûlés tandis que la terre se fend
pour engloutir le reste des soldats en armure et leurs
chevaux hennissant de terreur — Paquito a de la peine
pour les chevaux. Vacarme épouvantable, cris et sang dans
l'herbe verte. Un gros barbu appelle sa maman — tu peux
toujours l'appeler, *coño*. Pour toi, le voyage s'arrête là. Une
flèche dans la gorge le fait taire. Les temples de Tenochtitlán étincellent de nouveau sous le soleil.

Arpentant le quai, Paquito laisse ainsi passer une
vingtaine de métros. L'armée victorieuse se disperse. Le
capitaine Paquito reste seul avec Cuauhtémoc. « On l'a eue,
notre revanche ! » L'empereur pose une main sur son
épaule. « Tu es un garçon courageux, capitaine Paquito. »
La chaleur de cette main. Quand le flot des passagers est
moins intense, Paquito prend le métro qui traverse les
beaux quartiers. Mendiants, vendeurs, harangueurs.
Paquito fait reluire des chaussures, enfourne les pièces de
monnaie dans une pochette qu'il porte au cou, au bout
d'un lacet. Il a faim. À Tacuba, il reprend la ligne bleue,
direction Tasqueña. En tout, vingt-deux stations.

À huit heures du soir, il est revenu à son point de
départ. Aujourd'hui, il a gagné cinquante-deux pesos. Pas
mal. Il y a une vendeuse de pains sucrés à la sortie. C'est
décidé, il va s'acheter une *concha*, cette brioche en forme de
coquillage, sa préférée. Et puis, une cigarette — on les vend
à l'unité. Aujourd'hui, ce sera une Américaine, blonde dans
un paquet rouge et blanc.
    Puis, il va prendre le *pesero*, rentrer chez lui.

13

L'heure de la sieste à Montejaque

*... quelque village perdu dans la sierra
andalouse...
... couché dans un lit de roses...*

Montejaque,
le 21 décembre...

Mon cher Tépha,

Je t'avais promis une lettre à chacun des débuts de saison de cette année d'errance que j'ai entreprise il y a trois mois. Voici le premier, celui de l'hiver, et, fidèle à la parole donnée, voici ma première lettre.

Je ne vais pas te raconter en détail le début de mon voyage. Semé d'imprévus comme de banalités, d'émerveillements, de déceptions, de trains manqués, comme tous les voyages. Pour résumer, parti le 23 septembre, donc tout de suite après l'équinoxe d'automne, j'ai commencé par traverser la France. J'ai d'abord eu envie de jouer au touriste et n'ai pas résisté. Le travail — il s'agit quand même d'écrire un livre, comme tu le sais — viendrait plus tard.

J'ai dit que je n'allais pas te donner tous les détails, mais laisse-moi le plaisir de t'énumérer quelques étapes, pour te donner au moins une idée et titiller, qui sait, la petite corde de l'envie chez toi.

La première semaine à Paris. Je me suis recueilli sur des tombeaux célèbres, au cimetière du Père-Lachaise. J'ai bu un café crème — cher — au Flore et, pour faire bonne mesure, un express aux Deux Magots, un demi à la Coupole, un autre chez Lipp, un ballon de rouge à la Closerie des Lilas. Je n'ai pas oublié l'antique Procope, où je me suis permis un cognac, que j'ai siroté en prenant mon temps tout en relisant *Le neveu de Rameau*. Le Louvre, le Jeu de Paume, le centre Pompidou. Les quais de la Seine — c'est là que j'ai trouvé un exemplaire passablement déglingué du roman de Diderot. J'ai arpenté le Montmartre de Modigliani et de Pissarro, le Saint-Germain-des-Prés des existentialistes. Sur les traces du vieux Miller, j'ai fait un saut à Clichy — où j'ai passé deux ou trois heures bien (trop) tranquilles.

J'ai visité les lieux que je m'étais promis de visiter, le Charleville de Rimbaud, le Brest de Barbara, je parle, tu l'as compris, de la Barbara de Prévert, pour celle de *L'aigle noir*, je suis allé à Nantes. Ensuite, Monte-Carlo, où jouèrent Dostoïevski et des grands-ducs compulsifs — là, j'ai imaginé des douairières mettant en gage leurs rivières d'émeraudes, de grands propriétaires misant des villages en Ukraine avec leurs milliers d'âmes, des milliardaires, ruinés en l'espace d'une heure, signant, imperturbables, des reconnaissances de dettes, puis prenant leur canne et leur haut-de-forme au vestiaire et allant se tirer une balle dans la tête devant la Méditerranée. Boyard ou baron de la finance, j'aurais fait comme eux. Mais mon escarcelle est bien maigre. Je me suis contenté de perdre cinq euros dans une machine à sous et j'ai pris l'autocar pour Nice en me passant de souper ce soir-là.

J'ai visité d'autres lieux qui te sont chers à toi, Arles et Pont-Aven (Pont-Aven pendant que j'étais en Bretagne), où Gauguin séjourna avant de s'exiler à Tahiti. Je suis passé par Saint-Tropez, en coup de vent, juste pour voir ce qu'il en était — n'y ai rien trouvé. Non, aucune sirène au seins nus ne se prélassait sur la plage. Mais j'étais hors saison... Un saut à Villefranche-sur-Mer, à Antibes, à Saint-Laurent-du-Var, pour le clin d'œil à Picasso, à Cocteau. Un arrêt à Marseille, parce que c'était Marseille. Il pleuvait et la ville était sale.

Embarqué sur un rafiot — j'exagère, mais c'est pour l'image —, j'ai mis le cap sur la Corse, île de beauté. Quelques villes (belles, je l'avoue, mais je t'avoue aussi que je n'ai pas été plus séduit qu'il faut), Bastia, Ajaccio, Calvi — Christophe Colomb serait né dans la dernière, paraît-il, même si, à tort ou à raison, toutes les biographies affirment que c'est à Gênes qu'il a vu le jour. Mais la ville était alors génoise. Le mystère reste entier et ce mystère me plaît. Un autre bateau m'a amené en Sardaigne. Cette fois, j'ai failli y rester. Pourquoi? La sauvage beauté que la Corse ne m'avait pas donnée. C'est là que je l'ai trouvée. Je suis pourtant revenu sur mes pas.

Tout ce temps-là, j'ai dormi dans des auberges de jeunesse, sinon dans des hôtels dépourvus de la moindre étoile : une paillasse, une table bancale, les toilettes sur le palier. Fait quelques rencontres, intéressantes ou non. Noué quelques liens éphémères. Un Tunisien toujours sur le qui-vive, notamment — ses papiers étaient-ils en règle? J'avais des doutes —, que j'avais connu à Marseille et sur qui je suis tombé par hasard à Calvi. Il avait trouvé du travail dans un chantier — ravalement de façades dans la citadelle —, il était content. Pour être heureux, il lui man-quait encore une femme et il ne désespérait pas de la trou-ver en Corse, l'âge et même la nationalité lui importaient peu, mais il espérait séduire une Française. Au pis-aller, une Canadienne, et s'installer au Canada, malgré le froid — un aspect qui le faisait quand même hésiter. Ils ont tous l'impression qu'on gèle douze mois par année. Et puis j'ai connu un musicien espagnol — claviers — installé dans le nord de la France. Son groupe s'appelle *Nada*, ça veut dire « rien »…

Mon carnet est rempli d'adresses électroniques.

Mon pèlerinage achevé, et *les poings dans mes poches crevées*, j'ai pris le train pour l'Espagne. Barcelone, Madrid, Tolède, la Manche du *Quijote* — non, les moulins à vent ne m'ont pas attaqué —, Cordoue et ses splendeurs, Grenade et les siennes — une pensée émue pour Federico Garcia Lorca, son destin cruel aux premiers jours de la guerre civile —, Cadiz, Jerez de la Frontera, terre de gitans — et de gitanes —, j'ai eu les yeux tout éblouis, et puis Séville, enfin. Et je me suis arrêté là.

Comme tu as pu le lire, je suis maintenant à Montejaque, et tu dois te demander où ça se trouve. Ne sors pas ton atlas. C'est un village perdu dans les hauteurs de la sierra andalouse où a vécu — je te le donne en mille — Don Juan. Oui, Don Juan en personne.

Que je t'explique comment j'ai abouti ici.

À la bibliothèque de Séville, le lecteur insatiable que je suis — et que tu connais bien — a passé des heures et des heures à compulser des grimoires, et il est tombé sur cette histoire-là. Si elle n'était pas écrite, on n'y croirait pas ! Parce que, bien sûr, quand c'est écrit, on y croit…

Nous sommes en plein dix-septième siècle, avant les Lumières (voir Diderot que je lisais plus haut), mais en plein âge d'or de l'Espagne conquérante. Bon, je sais, l'Amérique était conquise, Cortés et ses semblables morts et enterrés depuis un siècle, mais d'autres les avaient remplacés là-bas, et des flots de richesses submergeaient la métropole.

Imagine donc un grand d'Espagne, un hidalgo, jeune encore, œil brillant, chevelure aile de corbeau, droit comme un *i* dans son pourpoint, l'épée au flanc. Son cheval piaffe à la porte du *palacio* familial. L'hidalgo s'appelle Don Miguel de Mañara.

Adolescent, il assiste à une représentation du *Burlador*, le *Trompeur de Séville*, le premier Don Juan, dont l'auteur — je l'ignorais — était un moine appelé Tirso de Molina. Son Don Juan est à l'origine de tous les autres, avatars ou non. Miguel assiste donc à cette représentation et là, c'est la révélation. Paul jeté dans la poussière sur le chemin de Damas. Il change aussitôt son nom pour celui de Don Juan et il jure solennellement de séduire mille deux femmes — pourquoi ce chiffre ? Je n'ai pas encore élucidé le mystère — sans jamais éprouver le moindre sentiment. Et le voilà parti pour la conquête.

Mille deux... En fait, c'est le deux qui étonne ici. D'habitude, on arrondit, et mille, tu en conviendras, aurait déjà été un nombre impressionnant. Sinon, mille et une, par allusion ou en hommage aux *Mille et une nuits*. Mais les *Mille et une nuits* n'avaient pas encore été traduites. Les premières traductions — en français — de Galland datent du dix-huitième siècle...

Je n'ai pu m'empêcher de faire mes propres calculs et me suis retrouvé, tu t'en doutes, bien en deçà du compte. J'ai eu beau me creuser les méninges, je suis à peine parvenu à dépasser la centaine. Excellent exercice de modestie, crois-moi sur parole. Tu essaieras.

Bon. On ne sait pas exactement combien de femmes tombent dans ses filets, mais il est question d'innombrables comtesses et autres dames de la noblesse, grande et petite, d'un défilé de nonnes, d'abbesses austères, de lingères légères, de soubrettes, de bergères béates, de courtisanes. Jeunes et naïves, ignares ou lettrées, aguerries, combatives, flétries, lascives, elles tombaient comme des mouches. Façon de parler. Disons qu'elles tombaient comme des fruits mûrs choient de leur branche. On mentionne même la maîtresse d'un pape — j'ai oublié lequel — et une demi-sœur du trompeur, la fille naturelle de son père (Don Juan avant la lettre, la séduction semble être ici une tare ou un don héréditaire), en Corse, à Calvi. Cette dernière aventure s'est soldée par un duel et, après avoir comme il se doit trucidé son hôte, le suborneur a dû fuir en pleine nuit. L'escalier dérobé par lequel il s'est échappé existe, paraît-il, encore. Hélas, j'ignorais tout ça quand j'étais à Calvi.

On croit rêver, tu ne penses pas ? En plein roman d'Alexandre Dumas père. Mais attends la suite.

La suite, c'est que, contre toute attente — après mille deux péripéties ? L'objectif avait-il été atteint ? La promesse, remplie ? —, Don Juan tombe amoureux d'une jeune héritière et se marie. Il est même heureux. Ici même, à Montejaque, un des domaines de Dulcinée où ils villégiaturaient l'été à l'abri de la canicule. Mais elle meurt au bout de treize ans de félicité et là, ça devient encore plus invraisemblable. Don Juan se repent de ses fautes, oui, tu as bien lu, il devient même frère de la Charité, un ordre laïque voué à ensevelir les morts non réclamés, les crimi-nels qu'ils vont décrocher des gibets, les indigents, les prostituées tuées par la vérole. Il consacre sa fortune à faire construire des asiles, le samedi, il lave les pieds des pauvres gens, le reste du temps, il soigne les mourants. Une existence d'expiation. Après sa mort, il a même été question de le canoniser. Tu imagines ? Saint Don Juan, patron des débauchés, priez pour nous… Tirso de Molina avait au moins fait dégringoler son vil séducteur en enfer, ce qui, tu en conviendras, est quand même davantage sa place. Comme dit Byron : « Au théâtre on l'a vu — scène extraordinaire — un peu avant son heure expédié en enfer. » (C'est moi qui traduis.)

Bref.

Il demande à être enterré sous une dalle à l'entrée de la chapelle qu'il a fondée et il rédige lui-même son épitaphe : « Ci-gît le pire homme qui ait jamais existé sur terre. » — Tu veux que je te dise : je trouve en fait que, quand elle atteint ce degré-là, l'humilité ne manque pas de superbe.

Il a écrit ses mémoires, auxquels il a donné le titre de *Discours de la Vérité*, j'ai commencé à les lire, mais en vieil espagnol, et même armé d'une batterie de dictionnaires, c'est loin d'être facile. Quoi qu'il en soit, j'ai compris qu'il s'accuse d'avoir commis les plus odieux péchés de Babylone — au point que je meurs maintenant d'envie de connaître Babylone... Pour ton édification, je te cite de mémoire ce passage : « J'ai servi Babylone et le prince le démon avec quantité d'actes abominables, des adultères, des scandales, des jurons et des larcins. » Des adultères et des larcins ! Avoue que, pour ce qui est de l'abomination, les temps ont bien changé.

Pour créer leur Don Juan, Musset, Mérimée, Mozart, Byron se sont inspirés de sa vie. Et moi, j'ai commencé — à mon tour, humblement (voir quelques lignes plus haut mon commentaire sur l'humilité) — une suite de poèmes sur le personnage. Enfin, le double personnage, Don Juan, Don Miguel de Mañara. Ou le double du personnage, bien plus intéressant que le tombeur de comtesses. J'imagine le livre, que tu illustreras. Car pour l'illustrer, je ne vois personne d'autre que toi. Et pour ça, mon cher Tépha, il faut que tu viennes et t'imprègnes. Alors, la question, c'est : quand ?

En attendant, j'ai photocopié pour toi le portrait de l'hidalgo (peint par Juan de Valdés Leal, célèbre pour ses têtes de martyrs et ses têtes de morts, des « Vanités ») et je le joins à cet envoi. Il a l'air très digne, et tu admettras avec moi qu'on l'imagine mal en train de commettre des larcins. (Mais le mot avait peut-être un autre sens à l'époque. Je vérifierai…)

J'ai parlé d'errance. Pour l'instant, je n'erre pas. Séville est mon port d'attache. J'aimerais que tu y sois avec moi. Je pense tout le temps à toi. Quand te décideras-tu à quitter la grisaille ? La lumière, ici, te rendrait fou. Les maisons sont jaunes, ocre, bleues, rose aurore, et quand, surtout à la fin du jour, le soleil s'engouffre dans les ruelles, c'est l'éblouissement. Le Guadalquivir — un vert souvent opaque, une eau souvent calme, presque trop, charriant Dieu sait combien de noyés, suicidés ou assassinés, dans sa mémoire glauque — qui coule dans la ville. Les promenades, les parcs, les arbres fruitiers, figuiers, orangers, dattiers, qui bordent les rues, les fleurs dans les patios derrière les grilles en fer forgé, et toutes les intrigues qu'on s'amuse à inventer. Il suffit de fermer un instant les yeux et la machine à remonter le temps se met en branle, on est catapulté des siècles en arrière. Le passé déferle. Les galions arrivent au port, toutes voiles gonflées claquant au vent, les caravelles, les bateaux corsaires avec leur pavillon à tête de mort qui, sinistre, se détache contre le bleu strident du ciel, les vaisseaux chargés d'or qui rentrent de l'Eldorado. Les marins débarquent avec des histoires d'avaries, de cyclones, de mer déchaînée dans le triangle des Bermudes. Voici la *Santa Maria*, et Christophe Colomb, son capitaine, salue la foule venue pour l'acclamer. Puis voici celui qui ramène du Mexique Hernando Cortés, grand civilisateur selon les uns, tourmenteur de Mexicains selon les autres. L'Histoire n'a pas tranché. Une chose est sûre : c'est qu'il a lui-même tranché la tête de l'empire aztèque. Mais sans lui, le Mexique serait-il ce qu'il est aujourd'hui? Sinon, que serait-il? On peut se poser les mêmes questions pour tous les pays. Et quand on se les pose, on tourne en rond.

Je sais, je sais, ce n'est pas à Séville que ces bateaux arrivaient, mais à Palos de la Frontera. Mais j'ai les yeux fermés, là, je rêve. Une calèche roule, j'ai le temps d'apercevoir une femme, doña Inès ou Elvira, qui agite nonchalamment son éventail brodé, orné de plumes. Plus loin, sur les remparts, une gitane danse la séguedille. La Carmencita. Un œil noir me regarde. Son ardeur fait fondre mon cœur de septentrional. Aux abords de la cathédrale, Don Juan poursuit dans les ruelles une femme voilée et quand enfin il la rejoint, il tend la main pour écarter son voile et c'est la mort qui le regarde en face — si toutefois la mort a des yeux pour regarder! C'est une de ces anecdotes surréalistes que j'ai lues sur le personnage. Il y en a d'autres, que je te raconterai. Tout ça te rendrait fou. Oui, Tépha, je me répète, je voudrais te voir ici. Tu peindrais pendant que j'écrirais. Don Juan serait notre muse. Et Carmen aussi, bien entendu.

Mais je parle et je parle et je m'éloigne de l'essentiel. Le moment est venu de passer aux choses sérieuses: les aveux. À Séville, je suis tombé amoureux d'une danseuse de flamenco. Bon, je t'entends déjà t'exclamer: « Quel cliché, Don François! » Je te répondrai qu'on n'est pas à l'abri des clichés, heureusement. Ou hélas. L'élue ne s'appelle pas Carmen mais Manuela. J'ai au moins évité ce cliché-là.

Dans le quartier où j'habite, à Séville... Je niche dans un réduit, comme tu t'en doutes, au sixième étage — sans ascenseur — d'un immeuble vétuste au fond d'une impasse peuplée de chats errants, oui, voilà un cliché que j'assume, celui du poète désargenté dans sa mansarde

écrivant la nuit à la lueur du bout de sa dernière chandelle,
et j'exagère à peine... mais bon, j'ai perdu le fil, où en étais-
je? Ah! oui, dans le quartier où j'habite, il y a un bar de
tapas, un de ceux qu'on appelle *mesón*, l'auberge espagnole, quoi — tables rectangulaires en bois, vin du pays
dans des tonneaux, jambons crus et saucissons suspendus
aux poutres du plafond, *camareros* bourrus qui te servent
uniquement quand ça leur chante ou quand ta tête leur
revient. Le tout envahi de fumée de cigarettes — s'il est
désormais interdit de fumer dans les lieux publics,
les Andalous sont moins à cheval sur la loi que les
Québécois...

Quand je dis qu'il y a un bar, c'est un euphémisme : en
vérité, les bars ici sont légion, mais je te parle de celui que
je fréquente assidûment. Cette sympathique et typique
taverne s'appelle *La gamba alegre*, ce qui se traduit par *La
crevette joyeuse*. Et elle est là, sur le menu, la crevette,
crustacé rose et hilare, un sombrero dans une patte, une
paire de castagnettes dans l'autre, souriant de toutes ses
dents. D'accord, elle n'a pas de dents. Elle sourit de toute
sa bouche en cœur. Sa sœur ou sa mère géante nous
accueille à l'entrée. On descend trois marches et voilà. La
première fois, c'est elle, la géante, qui m'a attiré là.

Bueno, moi, je ne vais pas là pour manger, pas vraiment
les moyens — et je reprends ma rengaine, le poète efflanqué qui se contente d'un quignon de pain dur dans sa
chambrette monacale, non chauffée. Je dis ça pour ne pas te
faire mourir de jalousie. En tout cas, moi, j'y vais en fin de
soirée, siroter un verre de *fino* et grignoter des olives. J'y
vais pour le spectacle de flamenco — un chanteur, un gui-
tariste, trois danseuses, dont, tu l'auras deviné, Manuela la
Divine. *Mi novia*, comme on dit ici, ma blonde, *mi rubia*, ça
la fait rire quand je l'appelle comme ça, elle a les yeux et les
cheveux noirs comme la nuit, le teint mat d'une olive. Elle,

elle m'appelle Paco ou même, dans les moments tendres, Paquito. C'est le diminutif de Francisco.

Je te parle d'elle : Sévillane pure laine, son père, professeur d'Histoire à l'université, spécialiste de l'époque de la Conquête, Colomb, Aguirre, Cortés, tout ça (voir plus haut ; ce sont sans doute mes conversations avec cet érudit qui me font halluciner des conquistadors dans le port de Séville), sa mère prépare un doctorat en Lettres françaises, le siècle des Lumières — Voltaire, rien de moins, j'ose à peine discuter littérature avec elle. Trois frères plus jeunes dont l'un ne parle que de devenir matador. Manuela, elle, étudie très sérieusement la danse dans une académie très sérieuse. *La crevette joyeuse*, c'est une façon de mettre en pratique le soir ce qu'elle apprend pendant la journée. Elles font toutes ça. Quelle grâce, quand elle danse, quelle passion, quelle fougue. Et son parfum s'appelle Duende, une qualité intraduisible et néanmoins indispensable aux danseuses de flamenco. Le cran ? Non, ce n'est pas ça, c'est à la fois plus subtil et plus véhément. Le chien ? Non, non. Intraduisible, je te dis. Elle l'a.

J'en suis fou, tu l'as compris. Fou, dingue, complètement gaga. Fébrile, tremblant, les mains moites, le cœur palpitant, l'œil larmoyant. Tu ne me reconnaîtrais pas. Pourtant, je te jure, Don Juan s'est bel et bien repenti. Il n'y a qu'en Espagne que ces choses-là arrivent.

Pour en revenir à Montejaque, le point de départ de mon épître, disons que le poète étique (moi) a fracassé sa tirelire et décidé d'inviter son amour (elle, Manuela) à passer un jour et une nuit (ou vice-versa) dans l'antre du loup. En termes plus prosaïques, j'ai mis l'escapade sur ma carte de crédit — même les poètes y ont droit. J'ai donc réservé une chambre au *Palacete de Mañara* — l'ancienne résidence de Don Juan. En passant, figure-toi que, après avoir été vendue et revendue, cette maison qui abrita des amours historiques a, pendant un certain temps, servi de fabrique de chorizo! Cette époque — une sorte de purgatoire où brûlait l'âme orgueilleuse du «pire homme qui ait existé sur terre» — est heureusement révolue et le petit palais a retrouvé sa vocation : abriter des amours. Les miennes, en l'occurrence. Passeront-elles à l'Histoire, tu penses?

Je sais, je suis un peu erratique, je te livre tout en vrac, mais c'est que le temps file, Manu va bientôt se réveiller et je n'en aurai plus pour toi alors que je voudrais tout te dire.

J'ai donc loué une voiture et nous avons quitté Séville à l'aube. Nous sommes descendus vers la côte. Une nuit à Marbella, villégiature d'émirs richissimes, de nababs de la mafia russe et de stars de cinéma. Rien de trop beau, comme tu vois. Nous n'avons pas atterri dans un palace, mais dormi dans une pension du vieux quartier, près de la place des Orangers. Repartis ce matin, nous avons roulé — imagine une route étroite, sinueuse, qui monte et tourne pendant quarante kilomètres entre précipice et paroi rocheuse — jusqu'à Ronda. Et imagine-moi au volant. Un ange ou même un archange devait veiller sur nous, car nous avons survécu. À Ronda, nous nous sommes arrêtés pour visiter les vieilles arènes. Ensuite, en bonne guide touristique, Manuela m'a conduit au belvédère, nous avons admiré la vue de la vallée dans la lumière — et j'ai encore pensé à toi. Nous sommes arrivés à Montejaque vers deux heures. Il faisait, il fait encore soleil, nous avons bu une bouteille de manzanilla sur la terrasse (souviens-toi que Carmen en boit sur les remparts), mangé une tortilla, une salade de tomates (elles goûtent le soleil). Et maintenant, ma belle se repose — la sacro-sainte *siesta*, rien à faire, je ne m'y habitue pas —, et j'en profite pour t'écrire.

Notre chambre — c'est une grande pièce plutôt austère, aux murs blancs, au sol de céramique bleu profond, meublée d'une armoire massive en bois foncé, de deux fauteuils, d'une table, d'une chaise et d'un lit — donne sur la place (de la Constitution. Ici, toutes les places s'appellent comme ça depuis qu'elles ne s'appellent plus Generalisimo Franco, ce qui est quand même préférable). La lumière, encore la lumière, Tépha, entre à flots. Pour dormir, Manuela a fermé les jalousies. J'aime imaginer — tu parles toujours de l'imagination — que Manuela fait la sieste dans le lit de Don Juan, qu'elle est couchée dans un « lit de roses » et que j'irai bientôt la rejoindre. J'imagine — oui, laisse-moi donner libre cours à mes élans quétainement romantiques, et ris de moi tant que tu voudras —, j'imagine donc les mots que Don Miguel ou Juan murmurait à Jerónima — c'était le prénom de sa femme aimée. Et je m'imagine, moi, les disant à mon tour à Manuela. *Paloma, angelita, loba, guapisima, querida, amor mío, te quiero, te deseo, te amo.* Et encore, je n'ai pas apporté de dictionnaire. À court de mots castillans, je poursuivrai en français. Mon amazone, ma mouette, mon alezane, ma guerrière, ma nuit, mon aurore, ma liane, féline, farouche, folâtre, plume d'ara, lame de fond, fleur carnivore, rivière sauvage, feu de Bengale, oiseau de feu, vallée de roses. Toutes les images qui me viennent quand je la regarde danser. Je le ferai, je te le jure. Cette nuit même. Dans le lit de Don Juan repenti, ma belle nue et chaude dans mes bras.

Écoute, Tépha, viens. Il le faut. Ne t'en fais pas pour l'argent, nous vivrons sur ma bourse. Quand on sait s'arranger, la vie n'est pas si chère que ça. On ira à Malaga, on visitera le musée de Picasso, on pourra même traverser le détroit de Gibraltar et poser le pied sur le continent africain. L'Espagne t'appelle, l'Espagne et sa lumière, l'Espagne et ses châteaux. Sors de l'ornière. Ils sont tous partis, Rimbaud, Gauguin, Dostoïevski, Conrad, Gombrowicz, Welles, Picasso, Miller, Shelley, Riopelle, Voltaire, Byron, Leonard Cohen, et j'en oublie, ils ont tous voyagé, ils ont vu le monde. Ils ont brisé des liens, en ont noué d'autres.

Autre chose : excuse-moi de te dire ça, mais qu'est-ce que tu attends pour quitter Julie ? Je sais bien qu'on a fréquenté la même polyvalente dans le temps tous les trois, ça crée des liens, tu diras, mais, crois-moi, tu mérites mieux qu'elle. Je suis mesquin ? Non, je ne suis pas mesquin. Je suis lucide. À Séville, Manuela a des amies fantastiques. Des danseuses, oui, mais d'un autre calibre que Julie.

Parce que, bon, j'ai un autre aveu à te faire, c'est le jour des aveux, on dirait. Je l'ai vue danser, ta Julie. Sous le nom de Jenny, mais c'était bien elle. Je ne t'en ai pas parlé — et elle non plus, j'en suis convaincu —, c'est arrivé juste avant mon départ. Dans un bar quelconque de la Rive-Sud, *Geishas*, ou quelque chose comme ça. Mon cousin Martin m'avait entraîné là pour fêter l'obtention de ma bourse du Conseil des Arts du Canada. J'entends déjà tes objections : il n'y a pas de sot métier, qui veut la fin prend les moyens, tout ça. D'accord. Tu me connais, je n'ai rien d'un puritain, et ce n'est pas que je lui en veuille ni que je la juge, loin de là, j'aurais plutôt pitié d'elle, tu vois. Mais là, tout ce que je peux te dire, c'est que ça volait bas. Je n'insiste pas. Pourtant, je te vois t'étioler et ça me crève le cœur, voilà. Et ce n'est pas avec Julie que tu t'en sortiras. Je ne t'apprends rien si je te dis que la vie est courte, Tépha. La vie est trop courte.

Mais trêve d'exhortations.

J'ai gardé le meilleur pour la fin. La cerise sur le gâteau, le cadeau de Noël. Tu es bien assis ? Parce que je ne voudrais pas que tu tombes et te fractures un bras — tu ne pourrais plus peindre. Tu es prêt ? Alors écoute : Manuela attend un enfant. Elle m'a annoncé la nouvelle hier après-midi sous un oranger à Marbella. Il semble qu'il ait été conçu la première fois que nous avons fait l'amour. Je t'entends t'exclamer : « On ne sait combien d'enfants naissent chaque seconde ni combien meurent. Il n'y a pas de quoi en faire un plat. » Je t'entends dire : « Les œuvres des artistes sont leurs enfants. » Et puis : « Mettre des enfants au monde, ce monde pourri qui est le nôtre, c'est criminel. » J'entends tous tes arguments. J'ai moi-même déjà dit toutes ces choses, et je les pensais. C'était avant Manuela. Je suis heureux, Tépha. Je ne me possède plus. L'enfant verra le jour à la fin de l'été. Si tu es là, tu pourrais être le parrain…

Manuela s'étire. Elle ouvre un œil. Deux. C'est le temps de clore ma missive. Alors, comme on dit, courage, Tépha. Ou, si tu te décides à venir, bon vent.

> Ton ami, Don Francisco,
> Qui t'embrasse fraternellement
> Depuis le repaire de Don Juan

14

Début et fin de soirée à Coyoacán

Un ténor s'égosille : Mexico ! Mexico !
L'hidalgo s'appelle Don Miguel de Mañara.

« **E** t ta recherche ? Tu trouves ce que tu veux ? demande Julio.

— Ça avance. Le problème, c'est que tous les livres se contredisent », répond Mathilde depuis la cuisine.

Elle est en train de préparer les margaritas. Elle se sent un peu fébrile : c'est la première fois qu'elle en prépare pour des Mexicains. Tequila (cent pour cent agave), liqueur d'orange, sel, jus de lime, beaucoup de glace (faite avec de l'eau purifiée). Les nachos sont déjà sur la table, dans le salon, avec une salsa piquante qu'elle a achetée ce matin au marché de Coyoacán. « Rien d'étonnant à ça, poursuit-elle. Le jour où les historiens seront du même avis sur quelque chose, eh bien, les poules auront des dents. »

« Mathilde s'intéresse à la Malinche », explique Julio aux deux autres — Carmen et Balthazar. Lui et Mathilde participaient au colloque qui a pris fin la semaine dernière à Mexico. « La Malinche, l'interprète indigène d'Hernan

Cortés », précise-t-il à l'intention de Balthazar. Balthazar hoche la tête.

« Tu restes encore combien de temps ? » reprend Julio. Elle sort de la cuisine, un verre de margarita dans chaque main. « J'espère que je les ai réussies… Combien de temps ? Encore deux jours. Juste deux jours. Hélas. Je rentre le 24. On m'attend pour faire cuire la dinde. » Elle rit. « Je plaisante. Cette année, je me suis épargné la corvée. L'oiseau trônera sur la table à mon arrivée, avec tous ses atours. » Elle va chercher les deux autres verres, apporte aussi le bol de guacamole, dépose le tout sur la table à café. « Du moins, j'espère… Il ne manque rien ? J'ai aussi des olives. C'est plus espagnol que mexicain, mais si ça vous tente… Non ? » Sa tignasse — ou crinière — châtaine est retenue sur la nuque par une barrette en bois, sans pour autant se laisser dompter — avec l'humidité, des bouclettes jaillissent de partout, un vrai panache. Elle porte une jupe longue en coton, bariolée, dans les tons d'orange brûlée, de brun fauve avec des touches safran çà et là, un chandail neuf en cachemire émeraude. Au cou, une étoile en jade au bout d'un cordon de cuir noir. Elle est pieds nus — une couche de vernis transparent sur ses ongles d'orteils. Son parfum est à la fois fleuri et acidulé, jasmin, citron, cédrat. « Non, tout est très bien comme ça, dit Julio. Ne bouge plus. Reste assise avec nous. » Il n'est pas encore sept heures. Il fait encore clair et Mathilde n'a pas allumé de lampes. Tout dans la pièce, même les reflets dans ses cheveux, a quelque chose d'orangé.

« Magnifique, cette maison », dit Balthazar. Mathilde s'illumine. « Oui, n'est-ce pas ? C'est quand même mieux qu'un hôtel. Je n'arrivais pas à croire à ma chance quand le professeur Vasquéz m'a proposé d'habiter chez lui. Ils sont allés passer les Fêtes dans sa famille à Oaxaca. Samedi, je suis allée au marché et j'ai acheté tous les cadeaux. Pour presque rien. Tenez, regardez.» Elle se lève, sort de la pièce, revient avec une poignée de cure-dents et de signets en bois décorés d'oiseaux multicolores. «J'en ai acheté pour tout le monde. Mignon, non?» Carmen acquiesce. «Très typique.

— J'ai aussi des housses de coussin brodées, des bols en céramique, des petits squelettes, des sacs en osier tressé. J'ai tout trouvé ici, au marché... Et surtout, j'ai trouvé ça dans une librairie d'occasion.»

Elle indique d'un geste le gros livre de photos de Manuel Alvarez Bravo en évidence sur la table à café. «Encore une fois, je ne croyais pas à ma chance. Il paraît que ces livres sont à présent presque introuvables.» Julio et Carmen approuvent. Ils racontent une anecdote à propos de cette photo célèbre, *La buena fama durmiendo*, le scandale que la vue des poils pubiens avait provoqué à l'époque. Balthazar feuillette l'album. «Je l'ai trouvé à la librairie Malintzin», précise Mathilde.

La rue où se trouve la maison s'appelle aussi Malintzin. C'est dans la *colonia del Carmen*, cinq minutes à pied de l'ancienne résidence d'Hernan Cortés, à Coyoacán.

Disons les choses telles qu'elles sont: Mathilde espérait que Julio viendrait seul, ce soir. Elle a eu l'impression, tout au long du colloque, qu'il y avait entre eux comme des... assonances? Des bouts rimés, des atomes crochus. Certains regards appuyés, des frôlements, comme par inadvertance, des sourires qu'elle aimait croire complices, le lui avaient fait croire. Il est sans doute marié, ils le sont tous, mais bon. Ce n'est pas une raison. Elle l'est aussi. À Montréal. Elle réfléchit depuis des jours à une façon de l'attirer dans ses filets. Elle s'était dit qu'elle commencerait par lui parler de sa recherche, il lui donnerait son avis, et de fil en aiguille, tout en prenant un verre… Juste une fois, un frisson exotique, un souvenir pour la réchauffer quand elle serait de retour au pôle Nord — elle ne demandait quand même pas la lune?

Mais voilà: il a téléphoné tout à l'heure pour lui demander s'il pouvait amener un de ses amis haïtiens de passage. Qu'est-ce qu'on répond dans ces cas-là? Non? Non, je veux te voir tout seul, j'ai envie de…? Envie de quoi, finalement? Elle a dit oui, bien sûr, excellente idée, plus on de fous, comme on dit chez nous.

Et quand ils sont arrivés, ils étaient trois. Cette Carmen, une femme forte en tailleur strict, cheveux mi-longs noirs comme la nuit, professeure titulaire au département des Études féminines d'une des universités de la ville, s'était jointe à eux.

«Carmen Mañara, a dit Julio en la présentant à Mathilde. Une descendante de Don Juan.»

Elle a souri. «Pas directe.» Puis: «Mon ancêtre — il est arrivé ici dans les années 1520, en même temps que Cortés — était un arrière-grand-oncle de Miguel de Mañara.» De quoi parlaient-ils? Mathilde, muette, cherchait désespérément dans sa mémoire un indice. Julio s'est porté à son aide. «Miguel de Mañara a vécu au dix-septième siècle, à Séville. Il s'est identifié à Don Juan. Il a même changé son nom. Il aurait séduit plus de mille femmes sans jamais éprouver le moindre sentiment. Mais ce n'est pas une histoire très connue.

— La petite histoire, a dit Balthazar.

— Fascinant», a conclu Mathilde, à court de mots.

Rue Malintzin, donc, à Coyoacán, la maison du professeur Vasquéz. Deux étages, des livres partout, un jardin avec une fontaine, où elle peut lire toute la journée. Inespéré, absolument. Malintzin ou quel que soit le nom qu'on donne, qu'on a donné au personnage — Malinalli,

Malinalli Tenépal, Marina la Lengua, Marina la de Cortés, doña Marina de Xaramillo, la Malinche. Tous ces noms pour une seule femme. Malintzin aux multiples visages. Malintzin représentée aux côtés de Cortés dans tous les dessins qui racontent l'histoire de la Conquête. Inespéré parce que, justement, Mathilde avait commencé à écrire un article — « La Malinche ou la problématique de la trahison en traduction » — sur cette figure controversée. Interprète de Cortés, puis sa compagne inséparable, son égérie, sa maîtresse, la mère de son fils — officiellement le premier métis de l'histoire du Mexique. Interprète ou traître ? Où commence l'un, où finit l'autre ? L'histoire l'a condamnée presque unanimement. La preuve, ces mots péjoratifs de la langue mexicaine — *malinchista*, par exemple, pour désigner celui qui méprise ce qui est mexicain et préfère ce qui vient de l'étranger —, on connaît ça aussi au Québec, mais on n'a pas de mot pour définir cette attitude.

« Traduire ou trahir ? a-t-elle écrit dans son introduction. Le débat semble toujours tourner autour de ce choix fondamental. Comme si, tout compte fait, la traduction n'était qu'une affaire de loyauté ou de trahison. Le traducteur doit-il toujours être placé devant cette éventualité terrifiante : se transformer en traître ? »

« Oui, dit-elle, le quartier m'enchante, vraiment. Les fleurs partout, toutes ces couleurs, les odeurs de friture, de tacos qui stagnent dans l'air. Les vendeurs ambulants, le joueur d'orgue de Barbarie au zócalo.

— Un quartier très folklorique, dit Carmen.

— Oui, sans doute, folklorique. C'est toujours le folklore qui… Et puis cette architecture coloniale qu'on a conservée…

— Tu sais quoi ? l'interrompt Balthazar. J'ai horreur du mot "colonial".

— Mathilde parle de l'architecture, proteste Julio.
— Mais moi, j'entends "colonial" et je déteste ça. »
Un fauteur de troubles, pense Mathilde. Un redresseur
de torts. La pire engeance. Un revanchard. Elle boit une
gorgée de margarita. « Pas mal, non ? dit-elle.
— Délicieuse », répond Julio. Il pose une main sur son
genou, puis la retire. Mais Mathilde se sent traversée par
une onde.

« J'ai écumé la bibliothèque du professeur Vasquèz, dit-
elle. Pour Roberto Muñoz, la cause est entendue : la
Malinche a trahi son peuple, les Aztèques. Octavio Paz est
pratiquement du même avis dans *Le labyrinthe de la solitude*.
Romero nuance son jugement. Malintzin était d'origine
aztèque, d'accord, mais les Aztèques l'avaient quand
même vendue comme esclave aux Mayas, qui l'avaient à
leur tour revendue, ou offerte en cadeau, aux Espagnols.
Après, quand il a cru qu'il n'avait plus besoin d'elle, Cortés
l'a donnée en mariage à l'un de ses hommes, mais c'est une
autre histoire. Disons qu'elle avait été formée pour obéir à
ses maîtres, quels qu'ils soient. Si l'on veut parler de
loyauté, en fin de compte, c'est à eux que l'esclave doit être
fidèle, non ? Dans son cas, la problématique de la trahison
est difficile à cerner. Todorov, lui, voit en elle un symbole
de réconciliation entre deux mondes en conflit. »
Elle s'enflamme. Elle réfléchit à la question depuis
quelques années et cette semaine de lectures ici à Mexico a
apporté de l'eau à son moulin, sa tête est pleine de théories.
Le rôle tenu par la traduction dans l'histoire du monde.
Penser à ce que serait le monde si la traduction n'avait pas
existé. Les textes fondateurs, la Bible, le Coran, bien ou mal
traduits, pour le plus grand bien ou le plus grand mal de
l'humanité. Les oublis, les glissements de sens, les inter-
prétations erronées, la subjectivité ou l'objectivité du

traducteur. Une petite distraction et le cours de l'histoire bifurque. La Conquête du Mexique, par exemple, aurait-elle seulement eu lieu sans le concours de la Malinche? «Muñoz écrit justement que...

— Si tu veux mon avis, Muñoz n'est pas vraiment une référence, dit Julio.

— Le point de vue de l'extrême droite, en quelque sorte», renchérit Carmen.

Un ange passe. Mathilde a soudain l'impression que tous trois la regardent d'un drôle d'air. Peut-être qu'elle parle trop, à travers son chapeau. Peut-être qu'elle énonce des inepties. Du moins, à propos du Mexique. Elle n'est plus sûre de rien, c'est-à-dire plus sûre d'elle. Ce n'était pas comme ça qu'elle avait prévu la soirée. La présence des deux autres la déstabilise. «Peut-être, dit-elle, mais je pense que, pour se faire une idée objective, il faut tenir compte de tous les points de vue. Ceux de gauche comme ceux de droite.»

Les verres sont vides. Elle retourne à la cuisine. «Tu as besoin d'un coup de main? demande Julio.

— Non, tu es gentil, ça va.»

Trois parts de tequila, une de liqueur d'orange, sel, jus de lime, glaçons. Elle met quand même les olives dans un bol, qu'elle apporte au salon avec un verre de margarita. Retour à la cuisine. Elle farfouille dans les armoires, trouve une boîte de biscuits salés. Jusqu'à quelle heure vont-ils s'éterniser?

«En réalité, la question n'est pas là, dit Balthazar. Du moins, elle est mal posée. Le jour où les intellectuels, je parle des intellectuels dignes de ce nom, s'occuperont des vrais problèmes...

— Dignes de ce nom?»

On entend le fracas d'un verre qui vient de se briser sur les tuiles de céramique dans la cuisine. « Tout va bien ? demande Julio

— *No problemo* », répond Mathilde.

Elle revient avec les trois autres verres, une assiette de biscuits sur un plateau, s'assoit sur le canapé en repliant ses jambes. On aperçoit la chaînette dorée qui entoure sa cheville gauche. « C'était une publicité, chez nous, explique-t-elle. Une marque de bière ou autre chose, il y a quelques années. *No problemo.* »

Ils sourient.

« Un peu bébête, mais bon… insiste-t-elle.

— Au Mexique aussi, il y a des publicités idiotes, dit Carmen.

— Je voulais dire que la démarche des intellectuels est stérile, la plupart du temps, interrompt Balthazar. C'est une démarche nombriliste. De l'enculage de mouches, pour parler de façon crue. Que la Malinche ait ou non trahi les Aztèques, ça ne change rien aux problèmes qu'on connaît actuellement dans le monde. À Haïti, par exemple.

— Je ne suis pas d'accord, dit Carmen. Je pense au contraire que tout se tient. Le présent est lié au passé.

— Dans ce que tu dis, je retiens le mot "présent". »

Une heure a passé, l'orange est devenu ocre et Mathilde se lève pour allumer une lampe. « De toute façon, je n'ai aucune compétence pour parler d'Haïti », dit-elle. Elle essaie de ne pas paraître trop sèche, mais elle en a marre de ce type. « Je n'écris pas un essai sur la politique internationale. Je m'intéresse à la traduction et à son rôle dans l'Histoire.

— Justement, dit Balthazar.

— Justement quoi ?

— Tu ne penses pas qu'il serait plus, disons, probant, ou pour le moins utile de réfléchir sur les répercussions que peuvent avoir les traductions de George Bush sur...»

Nous y voilà. Pas moyen d'avoir une discussion, peu importe le sujet, sans que le nom de Bush soit remis sur le tapis.

«Là, tu charries, Balta», dit Carmen.

Mais il dit qu'il ne parlait pas pour elle. Carmen donne un cours sur les femmes anarchistes. Ses figures de proue sont Flora Tristan et Sofia Perovskaïa.

«Non, le reproche s'adressait à moi, dit Mathilde.

— Dans tout ce que tu dis, moi, j'entends "je", toujours "je". Tu es professeur de traduction, n'est-ce pas? Ta recherche, permets-moi de te le dire, est égocentriste. Et tout le monde sait que le moi est haïssable.

— Le tien peut-être», dit Mathilde.

C'est sorti malgré elle. «Tu l'as cherché», dit Julio. Son sourire est contraint. Est-ce un sourire?

L'ocre romantique de tout à l'heure est de plus en plus foncé. Il fait presque noir dans la pièce, malgré la lampe. Il y a une grosse bougie dans un chandelier sur la table. Mathilde prend le briquet de Julio pour l'allumer. Et les verres sont de nouveau vides. C'est clair, les intrus ont l'intention de s'éterniser. Mathilde n'aura pas un seul moment d'intimité avec Julio. «Je vais tout apporter ici, dit-elle. Ce sera plus simple.» Julio la suit à la cuisine. Leurs mains se frôlent entre les bouteilles. «J'adore ton parfum», dit-il. Il meurt d'envie de la toucher, elle le lit dans ses yeux. Elle ne s'était donc pas trompée tout au long du colloque. Il y a de l'espoir: la soirée est encore jeune, pensent-ils tous les deux. Jeune, n'empêche qu'elle vieillit, se dit-elle après coup.

Chacun se prépare un verre. Ils oublient la liqueur d'orange, le jus de lime et les glaçons. La discussion reprend. Balthazar dit ceci et Mathilde répond que. Il l'interrompt. Elle l'interrompt. Carmen intervient. Le ton monte.

« Balta n'a pas tout à fait tort », dit Julio. Mathilde se sent trahie.

Balthazar demande la permission d'allumer un cigare. Mathilde dit qu'elle préférerait qu'il s'abstienne : l'odeur lui donne la nausée.

Une accalmie. Julio interroge Carmen sur Sofia Perovskaïa et les voilà qui se mettent à deviser sur les différences subtiles entre nihilistes et anarchistes. Mathilde perd le fil. Elle a la tête ailleurs. Je t'aime, *te amo*. On ne le lui a jamais dit en espagnol.

« Tu peux m'expliquer pourquoi tu portes une chaîne à la cheville ? demande soudain Balthazar.

— Parce que j'aime ça. Parce que je trouve ça beau. »

Elle a presque crié. Fous le camp, veut-elle dire. Mets les voiles, fais de l'air. Il hoche la tête. « Bien sûr, dit-il. Avant, on enchaînait les esclaves, et aujourd'hui, ce sont les belles dames intellectuelles du premier monde qui portent des chaînes comme des ornements à leurs chevilles. » Ce ton sarcastique. « Des chaînes, reprend-il, qu'elles ont payées... Je peux te demander combien tu as payé cette chaîne ? » Elle répond qu'elle ne sait pas combien la chaîne a coûté, c'est un cadeau. De son mari. Mais c'est faux. La chaînette, elle l'a achetée — et c'était assez cher — hier dans une des bijouteries du centre historique. Elle s'était imaginée... Ça ne te regarde pas, espèce d'abruti, pense-t-elle.

La tête commence à lui tourner. Il faut qu'elle se calme.
Inspiration, expiration. Elle pense à Cuauhtémoc, le
dernier empereur aztèque, que Cortés avait fait prisonnier.
Elle a lu son histoire dans un des livres du professeur
Vasquéz. « Tue-moi, Malinche », avait-il dit quand il avait
été forcé de se rendre. Les Indiens étaient incapables de
prononcer le nom de Cortés et lui donnaient celui de sa
compagne. Malinche. Ironie du sort. « Je me demande si la
Malinche traduisait les questions de Cortés pendant qu'on
brûlait les pieds de Cuauhtémoc, dit Mathilde, un peu
rêveusement.

— Elle traduisait tout, dit Carmen. Questions et
réponses.

— Sa phrase célèbre…

— *¿ Acaso yo estoy en un lecho de rosas ?*

— "Et moi, je suis peut-être sur un lit de roses", cette
phrase, il a dû la dire dans sa langue. Le nahuatl. Est-ce
qu'en la traduisant elle pensait : "Et moi, cette nuit je serai
dans ton lit, Cortés" ? Qu'est-ce qui se passe dans la tête du
traducteur ?

— C'est un aspect… commence Julio.

— Il devait bien se passer quelque chose dans sa tête,
l'interrompt-elle, criant presque. De la compassion, de la
haine, je ne sais pas. Elle avait peut-être l'impression de
prendre sa revanche. Enfin, le traducteur n'est pas juste
une machine. Il a un cœur. Qu'est-ce qui se passe dans le
cœur des gens ? »

Tout le monde se tait.

« Ce qui se passe dans leur cœur, continue-t-elle, ce qui
se passe vraiment, on ne le sait jamais. Qui aime qui, et
pourquoi on fait quoi ? Qu'est-ce qui détermine le cours de
l'Histoire ? Le désir d'un homme pour une femme, la
jalousie d'un mari trompé, la passion d'une femme pour
un homme ?

— Tu considères les choses d'un point de vue trop romantique, tranche Balthazar en balayant ses arguments d'un geste de la main.

— Moi, je comprends ce que Mathilde veut dire », intervient Carmen.

Sauf que Mathilde, elle, ne se comprend plus. Pour dire la vérité, elle ne comprend plus grand-chose. Elle n'a pas l'habitude de la tequila. Elle a dû en boire quatre verres, sans manger ou presque. Elle est fatiguée de parler espagnol. La migraine commence à poindre derrière ses yeux.

« Et il y avait toutes ces femmes que les Espagnols avaient enlevées. Cuauhtémoc a demandé qu'on les rende à leur famille. La plupart ont refusé. »

Quel rapport avec le sujet dont ils discutaient ? Elle ne le sait pas et elle s'en fout. Julio suggère qu'elles étaient peut-être comme la Malinche, amoureuses de leur hidalgo. Elle pense qu'elle avait espéré un lit de roses, ce soir. Elle avait oublié les épines et son ego est à présent tout égratigné.

« Après-midi, dans le métro, reprend-elle, toujours aussi déconnectée, j'ai vu un enfant à quatre pattes qui essuyait avec son chiffon les souliers des passagers.

— Il y a là tout un monde que tu ne peux pas comprendre, dit Julio. Tu viens d'ailleurs et... »

Une petite musique se fait tout à coup entendre. *Broken Wings*, cette chansonnette ringarde. Le cellulaire de Julio. Il ne manquait plus que ça.

Il répond, dit quelques mots en hochant la tête, raccroche. Il prend un air navré : il doit partir. Évidemment, pense Mathilde. De toute façon, elle a trop bu, elle a mal à la tête, elle n'aurait été bonne à rien. Carmen consulte sa montre, s'écrie qu'elle n'a pas vu le temps passer. « Nous nous reverrons peut-être à Seattle », dit-elle. Seattle ? « Au colloque, dit-elle. Sur les figures féminines de l'histoire. Je parlerai de Flora Tristan. Tu pourrais faire une communication sur la Malinche. J'en glisserai un mot au comité d'organisation. Julio a ton courriel ? » Mathilde balbutie que oui. Elle est abasourdie.

Ils se lèvent tous les quatre. Mathilde rapporte les verres à la cuisine.

Et puis, elle sent une présence dans son dos. La main de Balthazar frôle ses hanches. « Je peux rester ? » murmure-t-il.

Rester ? Lui, après l'avoir contredite, ridiculisée toute la soirée, il veut rester ? Après l'avoir privée de son souvenir érotique exotique ?

« Non », répond-elle.

Un non catégorique.

15

Mercredi soir au Bout du monde

*Le Bout du monde est ouvert vingt-
quatre heures sur vingt-quatre…
Mathilde s'intéresse à la Malinche…*

Une heure quarante — l'heure est inscrite dans le coin
supérieur droit de l'écran de l'ordinateur. Dans le
coin inférieur du document, c'est le compte de mots qui
s'affiche, à présent 12 893. « … ajouter trois clous de girofle,
une pincée de cumin, saler, poivrer… Farcir la dinde avec
le mélange, ficeler la volaille, puis la faire rôtir à four
moyen pendant six heures au moins selon le poids en
arrosant régulièrement avec le lait de coco allongé de jus
d'ananas… Faire entre-temps revenir dans un poêlon les
quatre oignons émincés… »

Jonathan s'arrête. Il a l'impression d'avoir fait revenir
cinquante kilos d'oignons depuis qu'il a entrepris cette traduction. Virtuels, heureusement, les oignons, sinon dans
quel état seraient ses yeux ? Rouges, brûlants, gonflés,
il ose à peine imaginer le désastre. Comment font tous
ces cuisiniers — ou leurs marmitons ? Ils portent des
lunettes protectrices ou quoi ? Certains chefs affirment que

mâchouiller un cure-dent pendant le processus d'épluchage et de coupage stoppe l'activité des glandes lacrymales. D'autres prétendent qu'il faut allumer une allumette de bois, ou mettre le bulbe au congélateur, ou bien le passer sous l'eau froide. Jonathan a essayé tous les trucs et il pleure toujours.

Quelle que soit la recette, qu'il s'agisse des hors-d'œuvre, du potage, des poissons, des viandes, des plats végétariens, et quel que soit le pays d'origine du plat en question, on commence toujours par faire revenir — ou rissoler, frire, dorer, caraméliser, tomber, suer, blondir, il est de plus en plus à court de synonymes — quelques oignons. Dans un poêlon petit ou grand, dans un wok, une marmite, une casserole, une cocotte. Dans le beurre ou le saindoux, la graisse d'oie ou de canard, l'huile d'olive, de pépins de raisin, de maïs, d'arachide, de canola. Avec des poivrons en lamelles, des poireaux en rondelles, des dés de céleri, des piments forts ou doux, des champignons sauvages ou non. Du vinaigre balsamique, de jerez, de cidre, de framboise, avec du brandy, de l'ail, de la coriandre, du cari, des herbes de Provence. Il a même vu du chocolat amer — une recette mexicaine. Pour tout dire, il a l'impression de se répéter. Il a presque hâte d'arriver à la section consacrée aux desserts — la tarte aux oignons était heureusement dans les entrées.

Dans le cas qui nous occupe, une concoction sucrée salée du chapitre « Cuisine fusion », on fait rissoler nos oignons avec des bananes plantains et des mangues — un fruit on ne peut plus à la mode depuis quelque temps. Jonathan repositionne le curseur. Faire donc revenir avec « … les mangues tranchées en quartiers, les dés de tomates vertes… » — encore faut-il en trouver — « … les graines de sésame et les amandes effilées, saupoudrer de piment de

Cayenne, laisser caraméliser, mouiller avec le cointreau, flamber. Déposer la dinde entourée de ses fruits dans un grand plat de service. Réduire la sauce, la filtrer, la verser dans une saucière. Accompagner d'un saladier de riz tiédi safrané sur lequel des sections de mandarines seront artistiquement disposées. Décorer de fleurs comestibles ou non, capucines, marjolaine, coquelicots, jasmin.» Voilà, et ça s'appelle «Dinde Bout du monde». Le vin recommandé : un gewurztraminer bien moelleux ou un rosé d'Afrique du Nord, un boulaouane, par exemple — si jamais ils en ont à la SAQ. Sinon, pourquoi pas, une bouteille de saké de qualité qu'on n'oubliera pas de faire réchauffer. Une idée pour un réveillon qui sorte de l'ordinaire.

De traduire toutes ces recettes lui donne faim tout à coup. Il essaie de visualiser mentalement le contenu de son frigo : deux ou trois pommes ramollies dans le bac à légumes, le fond d'un bocal de sauce bolognaise, un bout de camembert racorni. Il doit rester des spaghettis dans l'armoire, une boîte de thon, du riz brun, peut-être — quarante minutes de cuisson. Pas vraiment inspirant.

Jonathan Jordan — a-t-on idée, quand on s'appelle Jordan, de prénommer son rejeton Jonathan ? Qu'on le prononce en anglais ou en français, on se retrouve pris avec la même répétition de sons : «jo jo», «anne anne», «an an». Il ne l'a pas choisi, il s'en contente. C'est-à-dire d'habitude. Car quand, comme aujourd'hui, il en est réduit à traduire un livre pratique ou bien un de ces polars pondus en série — il faut ce qu'il faut, gagner sa vie n'est pas une sinécure —, il utilise un pseudonyme.

Qu'est-ce qu'il fait d'habitude ?

Il met les lettres — d'un vieux jeu de scrabble — de son nom dans un chapeau — façon de parler, il s'agit en l'occurrence d'une boîte d'ananas au sirop —, il secoue, ferme les yeux, pige les lettres et les aligne sur la table, puis il les déplace et les agence jusqu'à ce qu'il trouve un alias convenable. C'est le sort qui décide. La première lettre pigée — il s'est fixé cette règle et n'en déroge jamais — lui donne la première lettre de son nouveau prénom. Pas toujours faciles à trouver ces pseudo-anagrammes, surtout qu'il n'y a pas de *e* dans son nom et ça complique un peu les choses, mais il aime bien, comme l'a dit sa sœur Florence, «se prendre pour un autre lorsqu'il traduit». Pour les polars — il en a remis un à l'éditeur la semaine dernière —, c'est Anton Hando. Nora Jo — un double prénom, pour ainsi dire hermaphrodite, parfaitement adapté au genre — signe les manuels de psycho populaire, et Don Joan — presque Don Juan, il est plutôt fier de celui-là —, les romans d'amour de la collection «Émotion». Mais un livre de recettes... C'est la première fois qu'on lui confie ce genre de contrat, alors, il se demande. L'auteur est un homme : un nom féminin devrait donc faire l'affaire pour la traduction. C'est comme ça qu'il procède d'habitude. D'ailleurs, tant qu'à se prendre pour un autre, il aime bien à l'occasion se prendre pour une femme. Il secoue la boîte, sort une lettre, *h*, puis les autres une à une, les aligne. Voyons voir... Hada ? Hanna ? Han ? Han Rajon... Ça pourrait convenir. Ou Raton ? Tarot ? Nadon ? Il hésite un peu, opte finalement pour la première idée. Han Rajon — il y a là une petite sonorité asiatique. Les *Recettes du bout du monde*, traduites par Han Rajon. Parfait.

À propos de bout du monde, ça lui revient maintenant : il y a un restaurant qui porte ce nom dans le quartier. Un bouiboui, pour dire la vérité. Fréquenté surtout par des chauffeurs de taxi, ce qui pourrait presque être une référence. Ouvert tous les jours de l'année, vingt-quatre heures sur vingt-quatre. Une véritable aubaine pour les insomniaques tourmentés par une fringale soudaine au milieu de la nuit. Il a lu le menu l'autre jour dans la vitrine. Trois fautes de grammaire dans les trois premières lignes. Un genre de record, peut-être. Ou peut-être pas. *Spéciale* des Fêtes : dinde, *petit* (un seul ?) pois, patates *pilés* (un patate ?), atocas. Soupe, dessert, café compris. Cinq dollars quatre-vingt-quinze. Il a cru qu'il avait mal lu. Ou bien, c'était peut-être une autre erreur. Il est entré pour s'informer. Le cuisinier, de toute évidence maghrébin, lui a répondu que c'était bien le prix, cinq dollars quatre-vingt-quinze, taxes incluses, café — pas de l'expresso ni du cappuccino, évidemment — à volonté. La tarte, sucre ou pommes, était le dessert de la semaine. *À la mode*, a précisé le cuisinier. Sinon, il avait toujours le choix entre le pudding au pain, la cossetarde, le jello.

Exactement ce qu'il faut à Jonathan — il n'a pas encore soupé. Quand il se laisse absorber par sa traduction, il lui arrive d'oublier l'heure. Et aujourd'hui, c'est comme ça, il n'a pas vu le temps passer. Il éteint l'ordinateur. Et la télé. Il va manquer la fin du film, tant pis. *Broken Wings*, avec l'incomparable, l'irremplaçable Marjorie Martinez. De toute façon, il ne le regardait pas vraiment, c'est juste que la télé lui tient compagnie quand il travaille. Depuis le temps, ce film, il a dû le voir une bonne dizaine de fois, il le connaît par cœur. Le gros Bromsky vient d'éteindre son cigare. Il prend le revolver dans le tiroir de son bureau, se prépare à aller descendre Stephen, et la pauvre Lola, traître malgré elle, se précipite à sa recherche sous la pluie. Ensuite, c'est la fameuse scène où elle casse son talon entre les pavés disjoints. Un classique. En fait, Jonathan adore ce film. Mais il a trop faim.

Ce serait indéniablement plus simple de commander une pizza, des mets chinois... Non. Il a passé la journée et la soirée assis devant l'ordinateur, il a besoin de s'aérer. Il neige, oui, mais comme le dit Mathilde, son amie, traductrice comme lui, ou plutôt professeur de traduction à l'université, grande voyageuse devant l'Éternel, « le bout du monde nous appelle ». Puisqu'il nous appelle, il faut y aller, dit-il. Il enfile bottes et manteau, enfonce une tuque à pompon sur sa tête, enroule un foulard autour de son cou et sort en sifflotant dans la tempête.

Une fois dehors, il ne sifflote pas longtemps. On n'a évidemment pas commencé à déneiger et il est déjà tombé vingt centimètres, au moins. Il avance péniblement, courbé en deux, sur le trottoir encombré. Un vent glacé souffle en rafales. Encore cinq minutes et je vais ressembler à l'abominable homme des neiges, ronchonne-t-il intérieurement.

Nuit blanche. Visibilité complètement nulle. À part lui, pas un chat — si on peut dire — dans les rues. Il est tenté de rebrousser chemin. Il persévère pourtant. D'abord un bol de soupe aux légumes pour me réchauffer, puis la dinde, plus de brun que de blanc, si possible, avec un peu de peau bien grillée, je ne suis pas cholestérolophobe — c'est bien comme ça qu'on dit? —, les canneberges, la purée de pommes de terre arrosée d'une louche de sauce brune, les petits pois, se récite-t-il comme une litanie pour s'encourager. Une bière en mangeant. Pour couronner le tout, une pointe de tarte aux pommes chaude, en espérant que le chef n'ait pas été trop généreux avec la cannelle, une boule — ou deux — de crème glacée. Café à volonté, j'en prendrai trois. Avec une cigarette, si j'ai le droit de fumer. Au milieu de la nuit, dans ce genre d'endroit à la bonne franquette, ils font peut-être de petits accrocs à la loi. Après, je retourne à mes recettes, suffisamment requinqué pour travailler jusqu'au matin. Il ne me reste que les salades et les desserts, le chapitre consacré aux punchs et aux cocktails exotiques, daiquiris, *sex on the beach*, margaritas. Rien de trop compliqué. Pratiquement aucun mot à traduire : la tequila, le rhum et la vodka sont les mêmes dans toutes les langues. Avec un peu de chance, j'aurai fini avant demain. Deux mille dollars gagnés les doigts dans le nez. Assez pour me payer une semaine de vacances dans le Sud en janvier. Le condo familial en Floride sera libre — papa et maman font une virée de deux mois en Tunisie. Mais la Floride, moi, je trouve ça un peu morne. Alors Varadero, Cabarete, Cancún ? Mathilde est justement à Mexico. Jusqu'à quand déjà ? Elle prépare un article sur l'interprète de Cortés, Malinche ou Marinche, je ne sais plus exactement. Je lui enverrai un courriel en rentrant, pour voir si elle ne pourrait pas combiner son séjour avec quelques jours à la mer en ma compagnie. Un machin tout compris, *sex on the beach* à volonté… Ah ! Mais non, j'y pense. Elle revient pour Noël. Ce sera pour une autre fois.

Pas un chat, donc. Il faut être bien téméraire — ou affamé — pour s'aventurer dehors par une nuit pareille. Il doit être le seul être vivant à avoir eu le courage de le faire. Pourtant, non, il n'est pas le seul. Quelqu'un le frôle, marmonne quelque chose d'une voix haut perchée — Jonathan n'a rien compris de ce qu'il a dit — et poursuit son chemin dans la direction opposée. D'où sort-il, celui-là ? Un spectre peut-être, l'esprit de la tempête, se dit-il en haussant mentalement les épaules — il ne croit pas aux revenants. D'après ce qu'il a eu le temps de distinguer sous le capuchon de la canadienne, ce pourrait être un homme au début de la trentaine au visage mal rasé.

Il ne croit pas aux revenants, et pourtant. Quelque chose de furtif chez ce type, cette ombre, lui rappelle… Lui

rappelle Stanislas. Il frissonne, et ce n'est plus de froid. Il
fait quelques pas, s'arrête, tourne la tête. L'inconnu a
disparu, avalé par la nuit.

Il avait dix-sept ans. Stan en avait dix de plus. Un
nihiliste — il se définissait comme ça. « Nihiliste, ça vient
de *nihil*, un mot latin qui veut dire "rien". Dans anarchie, il
y a le préfixe privatif *a*. Absence de pouvoir. Une société où
personne ne détient le pouvoir. Où tout le monde le
détient. Tout sera permis, Jonathan. Le mot "liberté"
prendra enfin tout son sens. Tu comprends, Jonathan ? » Il
comprenait. Le mot « liberté » prendrait son sens.

Toujours en noir, une flamme au fond de ses yeux
étroits, enfoncés dans les orbites, une gauloise entre le
majeur et l'index de la main gauche — il était gaucher.

Qu'est-ce que tu cherchais, Jonathan ?

Stanislas l'avait initié à la doctrine. Serguéï Netchaïev,
le *Catéchisme du révolutionnaire*. « Le révolutionnaire est un
homme condamné d'avance ; entre la société et lui, c'est
une guerre sans merci… » Jonathan croyait avoir chassé
tout ça de sa mémoire, et voilà que des phrases lui
reviennent telles quelles : « Le révolutionnaire n'a rien de
personnel, ni intérêts, ni affaires, ni sentiments, ni
propriétés, ni même un nom… » Stanislas lui martelait les
formules. Sa voix, étonnamment aiguë. Et lui, il répétait
comme un perroquet. « Tout, en lui, est absorbé par une
seule idée, une seule passion — la Révolution. » L'idée,
l'obsession, c'était de fabriquer des bombes. Agir. Regarde-
les, ces pseudo-révolutionnaires, trotskystes et maoïstes,
qui vendent leurs journaux à la sortie des métros. Une
farce, Jonathan. Ils ne font rien. Ils n'agissent pas, n'agiront
jamais.

Quelque chose devait sauter, n'importe quoi. Stanislas disait : la révolution frappe en aveugle. L'important, c'est qu'elle frappe. En fait, tout devait sauter. « La passion de la destruction est une passion créatrice. » Bakounine. Ne l'oublie jamais.

Stanislas était né en Suisse. Il racontait que Netchaïev avait eu une liaison secrète à Genève, où il avait fui dans les années 1870. Un enfant était né. Il avait fait tous les recoupements : il descendait de cet enfant. Netchaïev est mort, mais pas son âme. Pas son cri. Ce cri était son héritage.

Tu avais dix-sept ans, Jonathan. Qu'est-ce que tu cherchais ? Un sens. Je cherchais un sens.

Stanislas disait que la Suisse, ce n'était pas un bon terreau pour la révolution. Encroûtée, sclérosée. Rien à faire avec les Suisses. Le Canada, le Québec, c'était mieux. Le Québec surtout. D'ailleurs, il y avait eu un précédent, en 1970. Au Québec, la révolution était à l'état embryonnaire, mais elle était là. Quand il y a un embryon, c'est qu'un enfant va naître. Le peuple québécois ressemble au peuple russe de la fin du dix-neuvième siècle. Bakounine affirmait qu'il y avait en lui « tant de poésie, de passion et d'esprit qu'on ne peut faire autrement que de reconnaître la grande mission qu'il a à accomplir dans le monde ».

Et lui, Jonathan, ces paroles le galvanisaient. N'oublie jamais que l'annihilation du vieux, c'est l'engendrement de l'avenir. Herzen.

Une cabane dans le Nord au bord d'une rivière. Stanislas l'appelait son laboratoire. Des livres sur des étagères de planches et de briques. Sur les murs, les portraits des idoles : Netchaïev, Herzen, Bakounine, et un

dessin en noir et blanc montrant le groupe de régicides sur
l'échafaud — ils avaient abattu Alexandre II en 1881, à
Saint-Pétersbourg. Andreï Géliabov, Nicolas Ryssakov,
Alexandre Mikhaïlov, Nicolas Kibaltchich, Sofia
Perovskaïa. Des martyrs, Jonathan. N'oublie jamais leurs
noms.

Ce week-end, on va au labo, Jonathan. Ils prenaient le
bazou de Stan, une coccinelle rouillée qui empestait le
tabac brun refroidi. C'était l'hiver. Une fois là, ils allu-
maient le poêle à bois. Ils écoutaient Léo Ferré chanter *Les
anarchistes*. Ils lisaient des auteurs russes. « Le nihiliste est
un homme qui ne s'incline devant aucune autorité... Il n'y
a pas une seule institution de notre société qui ne doive
être détruite. » Tourgueniev. Pas une seule, n'oublie jamais
ça, Jonathan. « On ne fait pas la révolution avec des gants
blancs. » Et lui, fier, il répondait : Lénine.

Stanislas avait choisi la première cible : la bombe serait
placée dans le pavillon principal de l'Université McGill, où
lui-même étudiait le russe. Un symbole évident, ce haut
lieu du savoir, érigé pour les nantis, et qui nargue les
démunis. Un symbole éclatant. Il avait rédigé le commu-
niqué. « À bas l'*establishment*... Et ce n'est qu'un début...
La Révolution sera permanente... Nous pousserons en
avant la roue de l'Histoire... Nous rejetons toute
tyrannie... Notre objectif est pur... *Il n'y a pas une seule
institution de notre société qui ne doive être détruite*... Nous
irons jusqu'au bout. *L'annihilation du vieux est l'engendrement de l'avenir.* » La date était fixée. Le 1ᵉʳ mars. Une date
anniversaire : celle de l'assassinat du tsar Alexandre II par
les disciples de Netchaïev.

Qu'est-ce que tu cherchais, Jonathan ? Il claque des
dents. Un sens. Un sens à ma vie.

Mais, à la dernière minute, lui, Jonathan, s'était dégonflé. D'une cabine téléphonique, il avait téléphoné à *La Presse*, tout révélé.

Et après, comment vivre avec ça? Il n'avait plus été capable d'envisager la vie. Il s'était tranché les veines le soir même dans sa chambre. Les cicatrices sont encore là.

Il claque des dents, il grelotte.

Florence était entrée pour lui emprunter un disque, Nirvana, c'est comme ça qu'elle lui avait sauvé la vie. Sauvé? Il n'était pas sauvé. Il frissonne. À l'époque aussi, il frissonnait, il avait toujours froid, toujours peur. « Le révolutionnaire doit être prêt à faire périr de sa main tout adversaire de la Révolution. » Il voyait Stanislas partout. Netchaïev n'avait pas hésité à abattre de sa main un membre de son groupe qui l'avait défié. Chaque fois que Jonathan croisait une silhouette maigre, en noir, chaque fois qu'il voyait un visage aux joues creuses mangées par une barbe de trois jours... Il ne voulait plus sortir. Il grelottait dans sa chambre. Il avait beau se répéter que Stanislas ne pouvait pas savoir qui l'avait trahi. D'ailleurs, on l'avait arrêté. Mais on le relâcherait, et alors là... Comment vivre avec ça?

Il avait peur. Il claquait des dents malgré l'été. Diagnostic: dépression profonde. Il avait voulu partir — à Montréal, ce n'était plus possible. Ses parents avaient cédé, lui avaient avancé l'argent du voyage. Il était allé à l'autre bout du pays: Vancouver. Et même là, au début. Toutes les silhouettes maigres étaient Stanislas. Peu à peu, comme on dit, ça s'était tassé. Estompé. Il avait étudié la traduction, traduit pendant douze ans des comptes rendus de comités du Secrétariat d'État, suivi toutes sortes de thérapies. Et lu, lu attentivement Camus, Dostoïevski et Tourgueniev,

Marx, Mao, Trotski. Sa conclusion : la doctrine de Stanislas n'était qu'un ramassis de clichés, de poncifs. Comme une recette. Une pincée de ceci, trois grains de cela, une cuillerée de démagogie, une belle voix, brasser énergiquement, cuire à feu vif, servir.

Douze ans d'exil. Il avait eu le mal du pays, il était rentré.

Et maintenant, à Montréal, il fait ses traductions sous des pseudonymes. Il vit simplement — mène une existence débonnaire, en somme.

Le temps a passé. Il a cessé de chercher. Il mène une existence débonnaire.

Il claque des dents. Il aurait dû rester au chaud chez lui, commander une pizza.

Il traverse une rue sans rien voir. Une sirène hurle quelque part dans le brouillard blanc. Le Bout du monde est dans la rue suivante. Encore quelques pas. Soupe, dinde, patates pilées, atocas. Courage. Il n'est plus sûr d'avoir faim.

Il arrive en même temps que l'ambulance. À l'intérieur du restaurant, une poignée de personnes surexcitées parlent en même temps. Une rousse aux cheveux raides de laque sanglote hystériquement. La serveuse, l'air hébété, tient une cafetière dans sa main et répète « On n'a rien entendu » à une femme qui tripote nerveusement un collier de grosses perles. Un grand blond baraqué comme une armoire à glace hoche la tête pendant que deux hommes, un Noir maigrichon, un costaud grisonnant, lui parlent en gesticulant. Le cuisinier — Jonathan reconnaît le Maghrébin qu'il a vu l'autre jour — se roule en tremblant une cigarette. Son visage est livide, on dirait qu'il va tourner de l'œil.

Au fond, une porte — les toilettes ? — tangue. Ainsi sortie de ses gonds, elle donne à la pièce un air dévasté. C'est là que les deux ambulanciers se précipitent. Ils en sortent avec le corps d'une femme — la cinquantaine, jupe de tweed, chandail de laine bourgogne, bas de nylon taupe — qu'ils déposent sur la civière. Sa perruque a glissé, on voit une partie de son crâne presque chauve, une vision à la fois grotesque et pathétique. La femme au collier de fausses perles s'avance pour la replacer. Un ambulancier l'arrête : « Non, madame, vous ne devez pas la toucher. » À l'autre, la rousse tend quelque chose, un cylindre en métal doré. « Son rouge à lèvres, murmure-t-elle. Le rouge à lèvres de Doris. Elle l'a échappé. » Comme si elle allait en avoir besoin. L'ambulancier le prend quand même, puis ils roulent la civière vers la sortie.

Dans un angle de la salle, la télévision est restée allumée. Le film vient de finir. Le générique défile sur la chanson-thème, paroles de Robert Elkis, musique d'Ernesto Liri. Jonathan la fredonne dans sa tête. *Here I am, oh baby hear me sighing, broken heart. Bird in the rain, just see me falling, broken wings. Broken wings…*

Table

Dans la même collection

DANGER

LE PHOTOCOPILLAGE TUE LE LIVRE

PROTÉGEONS NOS FORÊTS

Cet ouvrage
composé en Palatino corps 11,5 sur 14,5
a été achevé d'imprimer
en avril deux mille sept
sur les presses de

imprimerie **gauvin**

Gatineau (Québec), Canada.